AtV

Von einem Hausherren wird erzählt, der nur glaubte, mit seinem Kammermädchen zu schlafen, von einer ganz besonderen Hölle, von allerlei Vertauschungen einer Nacht, von einem Lämmchen, das sich, auf den Körper einer Frau gemalt, in einen Schafsbock verwandelt und von einem Baum, der nur von einer Seite höchstes Vergnügen bereitet, vom Leben in einem Kloster, den Fertigkeiten einer Hure, von höchst gelehrigen Frauen und allzu leichtgläubigen Herren.

Lassen Sie sich verführen von der erotischen Phantasie, von brennendem Begehren und tiefer Leidenschaft, folgen Sie mehr oder weniger beweglichen Lenden durch die Betten und haben Sie Spaß an der List, mit der man zu seiner Lust gelangt.

Liebesträume

Erotisches zur Nacht

Aufbau Taschenbuch Verlag

Zusammengestellt
von Catrin Polojachtof

ISBN 3-7466-1893-2

2. Auflage 2002

Hinweise zu Inhabern der Original- und
Übersetzungsrechte am Schluß des Bandes
Umschlaggestaltung Torsten Lemme
unter Verwendung eines Fotos von Anja Müller
Druck Elsnerdruck GmbH, Berlin
Printed in Germany

www.aufbau-taschenbuch.de

Inhalt

Margarete von Navarra

Das Heptameron

Die fünfundvierzigste Novelle

EIN TAPEZIERER GIBT AUF BITTEN SEINER FRAU DER KAMMERJUNGFER, IN DIE ER VERLIEBT IST, DIE RUTE ZU SPÜREN, UND ZWAR SO, DAß SIE BEKOMMT, WAS EIGENTLICH DER EHEFRAU ALLEIN ZUSTEHT. DOCH DIESE IST SO EINFÄLTIG ZU GLAUBEN, IHR MANN KÖNNE IHR EIN SOLCHES UNRECHT NICHT ANTUN, OBWOHL DIE NACHBARIN SIE HINLÄNGLICH INS BILD SETZT.

In der Stadt Tours lebte ein pfiffiger Mann von wachem Verstand. Er war Tapezierer des verblichenen Herzogs von Orléans, des Sohnes Franz' I. War er auch durch eine Krankheit taub geworden, begriffsstutzig war er deshalb keineswegs, und in seinem Gewerbe wie in allen anderen Dingen war keiner so geschickt wie er: Wie geschickt er war, werdet Ihr gleich sehen. Mit seiner braven, anständigen Ehefrau lebte er ruhig und in Frieden. Er fürchtete sehr, ihr zu mißfallen, und auch sie trachtete danach, ihm in allem zu Willen zu sein. Doch bei aller Zuneigung liebte er seine Nächsten so sehr, daß er oft heimlich seinen Nachbarinnen zukommen ließ, was seiner Frau gehörte.

In ihrem Haus lebte eine Kammerjungfer von üppigem

Fleisch, in die sich der Tapezierer verliebte. Da er jedoch fürchtete, seine Frau könne es bemerken, tat er oft so, als schelte und tadle er sie, und sagte, sie sei das faulste Ding, das ihm je untergekommen sei, was ja kein Wunder wäre, da ihre Herrin sie niemals schlüge. Eines Tages nun, als die Rede von den Rutenstreichen war, die am Tag der Unschuldigen Kinder verabreicht werden*, sagte der Tapezierer zu seiner Frau: »Es wäre wirklich eine gute Tat, Eurer faulen Trine welche zu verabreichen, doch dürftet Ihr das nicht selbst tun, denn Eure Hand ist zu schwach und Euer Herz zu mitleidig; wenn ich sie mir vornehmen dürfte, würde sie uns besser dienen.« Nichts Böses ahnend, bat ihn die arme Frau, zur Tat zu schreiten, wobei sie gestand, daß sie weder das Herz noch die Kraft habe, die Kammerjungfer zu schlagen. Der Gatte, der nur allzugern die Rolle des gestrengen Peinigers übernahm, ließ die allerfeinsten Ruten kaufen; und um zu zeigen, wie sehr es ihn gelüstete, sie nicht zu schonen, ließ er die Ruten in Salzlake legen, so daß die arme Frau schließlich mehr Mitleid mit der Jungfer hegte als Argwohn gegenüber ihrem Mann.

Als der Tag der Unschuldigen Kinder heran war, stand der Tapezierer früh auf und ging hinauf in der Jungfer Kammer. Und dort gab er ihr eine ganz andere Rute zu spüren, als er seiner Frau gesagt hatte. Die Kammerjungfer hub an zu heulen, aber es nützte ihr nichts. Doch aus

* Nach altem Brauch versuchten die jungen Männer am Morgen des 28. Dezember, dem Fest der Unschuldigen Kinder, junge Frauen im Bett zu überraschen und sie, war ihnen das gelungen, mit Ruten für ihre Faulheit zu strafen.

Angst, seine Frau könne ihn überraschen, begann der Tapezierer, mit den Ruten so sehr auf die hölzerne Bettkante einzuschlagen, daß sich die Rinde löste und sie zerbrachen. Die zerbrochenen Ruten trug er zu seiner Frau und sprach: »Meine Liebe, ich glaube, diesen Tag der Unschuldigen Kinder wird Eure Kammerjungfer nie mehr vergessen.«

Nachdem der Tapezierer das Haus verlassen hatte, warf sich die arme Jungfer vor ihrer Herrin auf die Knie und sagte, der Herr habe ihr die größte Schmach angetan, die jemals einer Dienerin widerfahren sei. Doch jene dachte, sie meine die Prügel, und ließ sie nicht ausreden. »Mein Mann hat recht getan, denn ich bitte ihn schon seit langem darum. Und hat es Euch weh getan, so freut mich das. Beklagt Euch nicht bei mir, und außerdem war er noch nicht einmal so kräftig zu Werke, wie er sollte.« Als das Mädchen sah, daß ihre Herrin solches Tun billigte, glaubte sie, sie könne keine allzu große Sünde begangen haben, zumal die Frau, die als anständig galt, es selbst veranlaßt hatte. Und so wagte sie nicht mehr, davon zu sprechen. Doch als der Herr sah, daß seine Frau sich ebenso freute, betrogen zu werden, wie er, zu betrügen, beschloß er, sie recht oft zufriedenzustellen, und gewann die Kammerjungfer so sehr für sich, daß sie nicht mehr weinte, wenn er mit der Rute zu ihr kam. Das ging nun geraume Weile so fort, ohne daß seine Frau etwas bemerkte. Dann kam der Schnee, und wie der Tapezierer im Gras seines Gartens der Jungfer die Rute gegeben hatte, wollte er es auch im Schnee tun.

Eines Morgens, bevor noch jemand im Haus erwacht war, führte er sie im bloßen Hemd zum Gebet hinaus, worauf sie sich mit Schnee bewarfen und auch das Rutenspiel nicht vergaßen. Das bemerkte eine Nachbarin, die nach dem Wetter sehen wollte und an ein Fenster getreten war, das geradewegs in den Garten schaute. Als sie nun dieses unsittliche Treiben gewahrte, wurde sie so zornig, daß sie beschloß, es ihrer Gevatterin zu sagen, auf daß sie sich nicht weiter von einem so gemeinen Ehemann betrügen und von so einer elenden Dirne bedienen lasse.

Nachdem der Tapezierer sein Spiel geendet hatte, schaute er sich um, ob ihn auch niemand beobachtet habe, und erblickte seine Nachbarin am Fenster, was ihm sehr mißfiel. Doch wußte er, der jedem Gewebe seine Farbe zu geben verstand, die Tatsache so gut zu vertuschen, daß die Gevatterin ebenso getäuscht wurde wie seine Frau. Kaum lag er wieder im Bett, ließ er diese im Hemd aufstehen, führte sie in den Garten wie zuvor die Kammerjungfer, balgte sich auch mit ihr lange im Schnee herum und spielte mit ihr das Rutenspiel. Danach legten sie sich wieder zu Bett.

Als die gute Frau zur Messe ging, fand sich prompt die liebe Nachbarin ein und bat mit der ihr eigenen Beharrlichkeit, ohne mehr zu sagen, sie solle die Kammerjungfer davonjagen, weil diese ein gemeines, gefährliches Weibsstück sei. Die brave Frau wollte das aber nur tun, wenn sie erführe, warum die Nachbarin so schlecht von ihr denke. So erzählte die Nachbarin denn, was sie am

Morgen im Garten gesehen hatte. Die Ehefrau lachte laut heraus und sagte: »Aber Gevatterin, liebste Freundin, das war ich!« – »Wie denn, sie war im Hemd, frühmorgens gegen fünf.« – Die Ehefrau antwortete: »Gewiß doch, Gevatterin, das war ich.« – Die andere fuhr fort: »Sie bewarfen sich mit Schnee, die Brust und noch was anderes, und alles ganz vertraut.« – Darauf die Ehefrau: »Ja, ja, Gevatterin, das war ich.« – »Und danach«, sprach die Nachbarin weiter, »habe ich sie im Schnee etwas tun sehen, was mir weder schön noch anständig erscheint.« – »Aber Gevatterin«, erwiderte die andere, »ich habe Euch doch schon gesagt und sage es noch einmal, daß ich das war und niemand sonst, die all das getan hat. Mein Mann und ich, wir treiben nämlich solche vertrauten Spiele. Bitte entrüstet Euch nicht darüber, Ihr wißt doch, daß wir unsern Männern zu Gefallen sein müssen.« Daraufhin zog die Nachbarin von dannen, so begierig, selbst einen solchen Mann zu haben, daß sie kam, sich den der braven Ehefrau auszuborgen. Als der Tapezierer zu seiner Frau zurückkehrte, erzählte er ihr, wie es bei der Nachbarin war: »Seht, Liebste«, sprach er, »wäret Ihr keine so brave und verständige Frau, wir wären schon längst auseinander. Doch ich hoffe, daß Gott uns unsere Freundschaft füreinander bewahrt – zu seinem Ruhm und zu unserem guten Einvernehmen.« – »Amen, mein Lieber«, sprach die gute Frau, »ich hoffe, daß Ihr mich niemals bei einer Verfehlung ertappen werdet.«

Margarete von Navarra

Wie Bornet, der glaubte, mit dem Kammermädchen zu schlafen, sich selbst zum Hahnrei machte

In der Grafschaft Alley lebte einst ein Mann, der hieß Bornet und war der Gatte einer anständigen und ehrbaren Frau, worüber er so froh war wie wohl alle Männer, deren Frauen ehrbar und anständig sind. So sehr er selbst auch wünschte, daß seine Frau ihm die Treue nicht brach, so hielt er selbst ihr die versprochene Treue doch nicht, denn er verliebte sich in ihr Kammermädchen und glaubte in diesem Wechsel das Vergnügen zu haben, das man empfindet, wenn man anderes Fleisch ißt, nachdem man lange Zeit hindurch immer dasselbe gegessen hat. Er hatte nun einen Nachbarn, der hieß Sandres, der war ein Mann von derselben Gesinnung wie er selbst und war ein Schneider. Die beiden waren gute Freunde, und außer ihren Frauen hatten sie alles gemeinsam. Deshalb erzählte Bornet seinem Freunde auch, was er mit dem Kammermädchen vorhatte, und der billigte nicht nur seinen Plan, sondern half ihm, soviel er konnte, daß er sein Ziel erreichte, denn er hoffte, seinen Teil von der Beute zu bekommen. Aber das Kammermädchen wollte nicht einwilligen, und da sie sich von den beiden so bedrängt sah, ging sie zu ihrer Herrin und bat sie, sie zu entlassen, damit sie zu ihren Eltern zurückkehren könne, denn sie könne die Quälerei der beiden nicht länger ertragen.

Die Frau, die ihren Mann sehr liebte, hatte schon oft einen Verdacht gegen ihn gehabt und war nun sehr froh, dies von dem Kammermädchen zu hören, und wollte dem Gatten zeigen, daß ihre Zweifel an seiner ehelichen Treue nur zu berechtigt gewesen waren. Und sie sagte zu dem Mädchen: »Bleibt hier, seid freundlich mit meinem Manne und saget ihm, daß Ihr mit ihm in der Kleiderkammer schlafen wollt. Saget mir aber die Nacht, in der er zu Euch kommen will, und saget sonst niemandem etwas von dem, was wir miteinander gesprochen.«

Das Mädchen tat, wie seine Herrin gesagt hatte, und der Herr war hierüber sehr froh. Er ging zu seinem Freunde, und der bat ihn, ihn an der Freude teilnehmen zu lassen, da er ihm doch zu derselben verholfen hätte.

Als nun die abgemachte Stunde gekommen war, ging der Mann und wollte, wie er glaubte, bei dem Mädchen schlafen. Aber seine Frau hatte darauf verzichtet, die Herrin im Hause zu sein und für diese Nacht die Stelle der Dienerin übernommen. Als der Mann nun kam, empfing sie ihn nicht wie eine Frau, die den Geliebten empfängt, sondern zeigte große Scheu, wie ein junges Mädchen es tut, das den Liebsten zum erstenmal bei sich hat. Und sie tat dieses so gut, daß ihr Mann nichts merkte.

Ich kann euch nicht sagen, wer von beiden vergnügter war, er, weil er glaubte, seine Frau zu betrügen, oder sie, weil sie ihren Mann hinterging. Und als er bei ihr gelegen hatte, soviel er nur konnte – er hätte gerne noch länger bei ihr gelegen, aber er war schon lange verheiratet –, ging er aus dem Hause zu seinem Freunde. Der war viel jünger und kräftiger als er. Dem erzählte er, daß er bei einem herrlichen Weib gelegen. Und der Freund sagte zu ihm: »Ihr wißt, was Ihr mir versprochen habt.«

»Eilet zu ihr, bevor sie aufsteht oder meine Frau ihrer bedarf.«

Da ging der Freund in das Haus des treulosen Gatten und fand dort das »Kammermädchen«, das jener nicht erkannt hatte; und da diese glaubte, ihr Gatte sei zu ihr zurückgekehrt, gab sie ihm alles, was er nur wollte. Und viel länger blieb der Freund bei der Frau als der Gatte, und hierüber war die Frau sehr erstaunt, denn an solche Nächte mit ihrem Gatten war sie gar nicht gewöhnt. Aber geduldig hielt sie aus und freute sich schon, wenn sie an das dachte, was sie am folgenden Tage zu ihrem Manne sagen und mit welchem Spott sie ihn empfangen wollte.

Als der Tag graute, erhob sich der Freund, und während er noch mit der Frau Kurzweil trieb, zog er ihr den Ring vom Finger, mit dem ihr Mann sie geheiratet hatte. Hierin sind die Frauen des Landes sehr abergläubisch; sie ehren eine Frau, die bis zum Tode diesen Ring am Finger behält. Wenn eine ihn aber verliert, verliert sie auch die Achtung aller, und man sagt, daß sie ihrem Manne die Treue gebrochen. Sie war aber sehr zufrieden, daß er ihr den Ring vom Finger zog, denn sie dachte, daß sie so ihrem Mann beweisen könne, wie er sie habe betrügen wollen.

Als der Freund zu dem Manne der Frau zurückkam, fragte dieser: »Nun, schon fertig?« Der antwortete, hätte er nicht den anbrechenden Tag gefürchtet, er wäre noch bei der Frau geblieben.

Dann gingen beide und legten sich zur Ruhe.

Und am Morgen, als sie sich ankleideten, bemerkte der Mann am Finger seines Freundes den Ring, der dem sehr ähnlich war, den er selbst seiner Frau gegeben hatte, als er sie geheiratet, und er fragte den Freund, wer ihm den Ring gegeben hätte. Als der nun sagte, er hätte ihn dem Kammermädchen vom Finger gezogen, war der Mann über die Maßen erstaunt und schlug sich vor den Kopf und sagte: »Ach, lieber Gott, sollte ich mich selbst zum Hahnrei gemacht haben, ohne daß meine Frau davon wußte?«

Um ihn zu trösten, sagte der Freund: »Vielleicht gibt Eure Frau des Abends den Ring dem Kammermädchen, damit sie ihn verwahrt.«

Aber ohne ein Wort zu sagen, eilte der Mann nach Hause, wo er seine Frau lustiger und fröhlicher fand, als sie sonst war, denn sie freute sich, ihr Kammermädchen gerettet und ihren Mann und seine Kraft bis zum Ende genossen zu haben, und hatte dabei weiter nichts verloren, als den Schlaf einer Nacht. Als der Mann sie nun so fröhlich sah, dachte er bei sich: »Wüßte sie, wo und wie ich die Nacht verbracht, sie würde mich wohl anders empfangen.« Und er fing an, mit ihr zu sprechen, nahm ihre Hand und sah, daß sie den Ring nicht trug, den sie noch nie vom Finger gezogen hatte; da ergriff ihn ein großer Zorn, und mit zitternder Stimme sagte er: »Was habt Ihr mit Eurem Ringe gemacht?«

Aber sie war sehr froh, daß er gerade von dem sprach, was sie ihm selbst sagen wollte und sagte: »Oh! Schlechtester aller Männer! Wem glaubt Ihr denn, den Ring vom Finger gezogen zu haben? Ihr glaubt, Ihr hättet ihn meinem Kammermädchen abgenommen, für das Ihr nun wohl schon zwei Drittel Eurer Kraft verschleudert habt, was Ihr für mich nie tatet. Als Ihr das erstemal kamet, da meinte ich, Ihr wäret so verliebt wie ein Mann nur sein kann. Als Ihr aber das kleine Gemach verließet und dann wiederkamet, da habe ich Euch für einen Teufel gehalten, der kein Maß mehr kennt. Oh! Unglücklicher, denkt nur, wie verblendet Ihr gewesen seid, als Ihr gestern nacht meinen Leib lobtet, den Ihr doch nun schon so lange genießet, ohne ihn weiter groß geachtet zu haben. Die Schönheit und der Leib des Kammermädchens waren es nicht, die Euch diese Nacht das große Vergnügen verschafften; aber Eure Sinne waren geschwächt in wilder Geilheit. Hätte man Euch eine Ziege gebracht, Ihr hättet sie wohl für ein junges Mädchen gehalten. Nun aber, lieber Mann, ist es an der Zeit, daß Ihr Euch bessert. Seid zufrieden mit mir, Eurer Frau, erfreuet Euch mit mir, wie Ihr vergangene Nacht tatet, als Ihr glaubtet, bei dem Kammermädchen zu liegen. Was ich getan habe, habe ich nur getan, um Euch vor Unglück zu bewahren und damit wir beide ein ruhiges und freudiges Alter verleben können. Wollt Ihr aber Euer jetziges Leben fortsetzen, dann will ich mich lieber von Euch trennen, als mit anzusehen, wie Eure Seele, Euer Leib, Euer Hab und Gut zerrüttet werden. Wollt Ihr aber Eure Sünde erkennen und von nun ab nach dem Gebote Gottes leben, will ich alles vergessen, wie der liebe Gott meine Undankbarkeit gegen sich selbst vergessen und verzeihen möge, weil ich ihn nicht so liebe wie ich wohl müßte.«

Als der Mann sah, wie schön, edel und keusch seine Frau war, da faßte ihn große Verzweiflung, daß er sie mit einer anderen hatte betrügen wollen, die er gar nicht liebte. Aber noch unglücklicher wurde er, wenn er daran dachte, daß er sie entehrt hatte, ohne daß sie selbst davon wußte, daß ein anderer an dem Vergnügen teilgenommen hatte, das nur für ihn ganz allein war, daß er sich selbst die Hörner aufgesetzt hatte und daß das für ihn ewig Schande sein wird. Doch als er sah, daß seine Frau böse war wegen seiner kleinen Neigung zum Kammermädchen, hütete er sich wohl, ihr den schlimmen Streich zu erzählen, den er ihr gespielt hatte. Er bat sie um Verzeihung, versprach, ein besseres Leben zu führen und gab ihr den Ring wieder, den er seinem Freunde abgenommen hatte. Dieser aber mußte versprechen, keinem Menschen von dem zu erzählen, was sich in der Nacht ereignet hatte. Aber wie das nun einmal ist: Sagt man heute jemandem etwas ins Ohr, morgen pfeifen es die Spatzen auf dem Dache. Die Sache wurde bekannt, und man lachte reichlich über den Mann, der sich selbst zum Hahnrei gemacht hatte.

Giovanni Boccaccio

Das Dekameron

Der dritte Tag des Dekameron. Die zehnte Geschichte

ALIBECH WIRD EINSIEDLERIN, UND DER MÖNCH RUSTICO BRINGT IHR BEI, WIE MAN DEN TEUFEL IN DIE HÖLLE SCHICKT. SPÄTER, ALS MAN SIE ZURÜCKGEHOLT HAT, WIRD SIE DIE FRAU DES NEERBAL.

Dioneo, der die Geschichte der Königin aufmerksam verfolgt hatte, bemerkte, als sie beendet war, daß ihm allein noch zu erzählen oblag.

Er begann daher, ohne eine Aufforderung abzuwarten, lachend zu sprechen:

Meine anmutigen Schönen, ihr habt sicher noch niemals gehört, wie man den Teufel in die Hölle schicken kann. Ich will es euch darum erzählen, ohne mich damit von dem Thema zu entfernen, von dem ihr alle heute gesprochen habt. Wenn ihr recht achtgebt, könnt auch ihr vielleicht einmal eure Seele auf dieselbe Weise retten.

Auch werdet ihr aus der Erzählung erkennen, daß Amor, wenngleich er lieber in heiteren Palästen und üppigen Zimmern als in dürftigen Hütten wohnt, es deshalb doch nicht ganz verschmäht, zuweilen auch in schattigen Wäldern oder auf hohen Bergen und selbst in einsamen

Höhlen seine Kraft zu erproben; woraus wir ersehen, daß alle Dinge ihm untertan sind.

Doch um zur Sache zu kommen, vernehmet, daß in der Stadt Capsa in der Berberei einmal ein sehr reicher Mann lebte, der außer einigen Söhnen auch eine schöne, edle Tochter namens Alibech besaß. Sie war keine Christin, doch hatte sie von den vielen Christen, die in der Stadt lebten, den christlichen Glauben und Gottesdienst überschwenglich preisen hören. Deshalb fragte sie eines Tages einen der Christen, auf welche Weise man denn Gott am besten und ungestörtesten dienen könne. Der Christ antwortete, daß jene Menschen am besten Gott dienen könnten, die allen weltlichen Dingen ganz und gar entsagt hätten, wie zum Beispiel die frommen Männer, die sich in die Einsamkeit der Wüste von Thebaida zurückgezogen hätten.

Das Mädchen, das vielleicht vierzehn Jahre alt und noch ganz unerfahren war, machte sich am folgenden Morgen, mehr von kindlicher Neugier als von frommem Verlangen getrieben, ohne einen Menschen davon zu verständigen, auf den Weg, wanderte ganz allein auf die Wüste von Thebaida zu und langte, da ihr Verlangen anhielt, auch wirklich einige Tage später in der Einöde an. Als sie in der Ferne eine Hütte entdeckte, ging sie darauf zu und traf vor der Tür derselben einen frommen Einsiedler, der sehr verwundert war, sie hier zu sehen, und fragte sie, was sie hier suche.

Das Mädchen antwortete, daß sie, Gottes Ruf folgend, hergekommen sei, um hier Gott zu dienen, und daß sie auch jemand suche, der sie darin unterweisen möchte. Der gute Mann aber fürchtete sogleich, daß er, wenn er sie bei sich behielte, durch ihre Jugend und Schönheit leicht in des Teufels Fänge geraten könnte. Er lobte daher zwar ihr edles Vorhaben und reichte ihr einige Wurzeln, wilde Äpfel und Datteln sowie etwas Wasser, dann aber sagte er zu ihr: »Meine Tochter, nicht weit von hier lebt ein frommer Mann, der dich in allem, was du suchst, weit besser unterweisen kann als ich. Zu diesem Manne gehe hin!«, und schickte sie fort.

Sie gelangte auch bald zu dem zweiten Einsiedler, doch hörte sie von ihm dieselben Worte und wanderte darum noch tiefer in die Wüste hinein, bis sie schließlich an die Klause eines jungen Einsiedlers kam, der ein demütiger, guter Mann war und Rustico hieß. Sie stellte ihm die gleichen Fragen wie den beiden anderen Einsiedlern, und da er sich selbst eine Probe seiner Standhaftigkeit erbringen wollte, schickte er sie nicht fort oder weiter, wie die anderen, sondern behielt sie bei sich in seiner Klause. Als es Nacht wurde, bereitete er ihr auf der einen Seite der Zelle ein dürftiges Lager aus Palmwedeln und bat sie, sich darauf zur Ruhe niederzulegen. Aber als dies geschehen war, dauerte es gar nicht lange, so begann die Versuchung einen harten Kampf gegen die Widerstandskraft des Einsiedlers zu führen. Dieser, der sich bald von letzterer im Stich gelassen sah, wandte ihr nach wenigen Angriffen kurzerhand den Rücken und erklärte sich für besiegt. Sodann schob er alle frommen Gedanken, Gebete und Bußübungen beiseite, rief sich dafür die Jugend und

Schönheit des Mädchens ins Gedächtnis zurück und überlegte außerdem, auf welchem Wege und mit welchen Mitteln er es bei ihr versuchen sollte, damit sie nicht dahinterkäme, daß er, von sündigem Verlangen getrieben, das forderte, was er begehrte. Er forschte sie darum vorerst mit allerlei Fragen aus und stellte fest, daß sie noch keinen Mann erkannt hatte und so unschuldig war, wie sie aussah. Darauf beschloß er, sie unter dem Vorwand einer Art Gottesdienstes seinen Gelüsten dienstbar zu machen, und setzte ihr zu diesem Zweck als erstes mit vielen Worten auseinander, daß der Teufel der Feind des Herrgotts sei. Dann gab er ihr zu verstehen, daß der Dienst, der Gott am meisten wohlgefiele, kein andrer sei, als den Teufel in die Hölle zu schicken, in die der Herrgott ihn verbannt habe.

Das Mädchen fragte ihn darauf, wie man das mache, und Rustico antwortete: »Das sollst du gleich erfahren. Tue nur alles, was du mich tun siehst!« Damit begann er, seine wenigen Kleidungsstücke abzulegen, bis er nackt vor ihr stand. Das Mädchen tat es ihm nach. Dann kniete er wie zum Gebet nieder und gebot ihr, sich ihm gegenüber ebenfalls niederzuknien. In dieser Stellung wurde Rustico beim Anblick ihrer Schönheit heftiger als je von seiner Begierde gepackt, und die Auferstehung des Fleisches kam sogleich über ihn. Als Alibech das sah, fragte sie neugierig: »Rustico, was für ein Ding sehe ich da bei dir sich vordrängen, das ich nicht besitze?« – »Ach, meine Tochter«, entgegnete Rustico, »das ist ja der Teufel, von dem ich dir erzählt habe. Siehst du, gerade jetzt quält und martert er mich so sehr, daß ich es kaum ertragen kann.« Da sagte das Mädchen: »Gelobt sei Gott! Ich sehe, daß es mir besser geht als dir, denn ich habe keinen solchen Teufel.«

Rustico sprach: »Da hast du wohl recht, doch hast du an Stelle meines Teufels etwas anderes, was ich nicht habe.« Alibech fragte: »Und was habe ich?« Und Rustico entgegnete: »Du hast die Hölle, und ich gestehe dir, ich glaube, daß der Herrgott dich zur Rettung meiner Seele hergeschickt hat. Denn wenn du so barmherzig sein willst, zu dulden, daß ich meinen Teufel, immer wenn er mich fortan quält, in die Hölle schicken darf, so würdest du mich damit sehr trösten und dem Herrgott auf eine besonders wohlgefällige Art dienen, wozu du doch hergekommen bist, wie du sagst.« Das Mädchen antwortete treuherzig: »Oh, mein Vater, wenn ich wirklich die Hölle habe, so geschehe es, wann immer Ihr es wünscht.« – »Gesegnet seist du, meine Tochter!« rief Rustico. »So wollen wir ihn denn hineinschicken, damit er mich in Ruhen lasse!« Nach diesen Worten führte er das Mädchen auf eins der Lager und brachte ihr bei, wie man es anfangen müsse, um jenen Gottverdammten einzukerkern.

Das Mädchen, das noch niemals den Teufel in die Hölle geschickt hatte, fühlte bei dem erstenmal einen kleinen Schmerz und sagte darum zu Rustico: »Mein Vater, dieser Teufel muß wirklich ein böser Kerl und ein wahrer Feind unsres Herrgotts sein, denn er tut sogar, von anderm ganz zu schweigen, der Hölle weh, wenn er hineingeschickt wird.« Darauf sagte Rustico: »Das wird nicht immer so bleiben, meine Tochter.« Und um zu erreichen, daß es nicht so bliebe, schickten sie auf ihrem Lager den Teufel wohl an die sechsmal und mehr in die Hölle, so daß sie ihm für diesmal seine Hoffart völlig austrieben und er willig Ruhe gab. Zwar zeigte sich diese Hoffart in der nächsten Zeit noch unzählige Male, doch das Mädchen zeigte sich stets bereit, ihm dieselbe auszutreiben. So kam es, daß sie bald großes Vergnügen an diesem Spiel zu finden begann und zu Rustico sagte: »Jetzt sehe ich ein, daß die braven Christen in Capsa die Wahrheit sprachen, wenn sie behaupteten, daß es süß sei, Gott zu dienen. Ich weiß ganz genau, daß ich noch niemals ein größeres Vergnügen gekannt habe, als den Teufel in die Hölle zu schicken. Und ich behaupte darum, daß alle Menschen, die Gott nicht dienen wollen, dumm sind.« Fortan kam sie zu diesem Zweck oftmals zu Rustico und sagte:

»Mein Vater, ich bin hergekommen, um Gott zu dienen, und nicht, um hier müßig herumzusitzen. Laßt uns den Teufel in die Hölle schicken!« Und sagte auch zuweilen, wenn sie eben dabei waren, zu ihm: »Rustico, ich weiß nicht, warum der Teufel immer wieder aus der Hölle flieht. Wenn er so gerne darinnen wäre, wie die Hölle ihn empfängt und hält, würde er niemals wieder herausgehen!«

Während das Mädchen nun den jungen Rustico auf solche Weise häufig ermunterte und zum Gottesdienst antrieb, zog sie ihm bald derart das Mark aus den Knochen, daß er zu frieren begann, wo jeder andre in Hitze geraten wäre. Er machte ihr darum schleunigst klar, daß der Teufel nur dann bestraft und in die Hölle gejagt werden müsse, wenn er sein Haupt verwegen erhöbe. »Wir aber haben ihn, Gott sei Dank, so gedemütigt, daß er froh ist, wenn man ihn in Frieden läßt!« Damit brachte er Alibech eine Weile zur Ruhe. Als sie aber feststellte, daß Rustico sie gar nicht mehr aufforderte, den Teufel in die Hölle zu schicken, sagte sie eines Tages zu ihm: »Rustico, wenn dein Teufel auch gezähmt ist und dich nicht mehr quält, so läßt mich die Hölle deshalb doch nicht in Ruhe. Du tätest gut daran, mir mit deinem Teufel zu Hilfe zu eilen, um den Aufruhr in meiner Hölle niederzuschlagen, ebenso wie auch ich dir mit der Hölle geholfen habe, die Aufsässigkeit deines Teufels zu bekämpfen.«

Rustico, der nur von wilden Wurzeln und Wasser lebte, vermochte nur schlecht dieser Aufforderung nachzukommen und antwortete, daß viele Teufel nötig seien, um eine Hölle zu bändigen, doch er wolle alles tun, was in seinen Kräften stehe. Er stellte sie denn auch noch hin und wieder zufrieden, doch geschah es so selten, daß es nicht mehr ausmachte, als ob man eine Bohne in den Rachen eines Löwen würfe, worauf das Mädchen, das nun ihren Gottesdienst nicht ausüben konnte, wie sie es wünschte, heftig zu murren begann.

Während nun zwischen dem Teufel des Rustico und der Hölle Alibechs des heftigen Verlangens und geringen Könnens wegen der Krieg noch andauerte, brach zu Capsa eine große Feuersbrunst aus, der auch Alibechs Vater mit seinen Söhnen und der ganzen Familie im eigenen Hause zum Opfer fiel, so daß nur Alibech als Erbin seines großen Vermögens übrigblieb.

Ein Jüngling namens Neerbal, der seinen Reichtum im Leichtsinn vertan hatte, hörte, daß das Mädchen noch am Leben sei. Er machte sich auf, sie zu suchen, und fand sie auch gerade noch so rechtzeitig, daß die Güter des angeblich ohne Erben verstorbenen Vaters von der Beschlagnahme durch den Hof verschont blieben. Er holte Alibech zur großen Erleichterung Rusticos und gegen ihren eigenen Willen nach Capsa zurück, wo er sie zu seiner Gattin machte und dadurch mit ihr zusammen Erbe des kostbaren Nachlasses wurde.

Als Alibech dort, noch bevor sie mit Neerbal geschlafen hatte, von andren Frauen gefragt wurde, wie man denn in der Wüste Gott dienen könne, antwortete sie, daß sie ihm damit gedient habe, den Teufel in die Hölle zu schicken, und daß Neerbal eine große Sünde auf sich geladen habe, als er sie von diesem Gottesdienst weggeholt habe. Die Frauen fragten darauf. »Und wie schickt man den Teufel in die Hölle?« Das Mädchen gab ihnen dies teils mit Worten, teils mit Gebärden zu verstehen, worauf die Frauen in ein so tolles Gelächter ausbrachen, daß sie bis heute noch nicht imstande gewesen sind, sich wieder zu beruhigen. »Ach!« schrien sie, »laß es dir nicht leid sein, Kleine! Das kannst du auch hier! Neerbal wird mit dir zusammen dem Herrgott noch manchen Dienst leisten!« Dann aber erzählte eine diesen Spaß der anderen, so daß er bald die ganze Stadt durchlief. Und so wurde es denn zum Sprichwort, der fröhlichste Dienst, den man dem Herrgott erweisen könne, sei, den Teufel in die Hölle zu schicken. Und das Sprichwort überquerte die Meere und wird noch heute gebraucht.

Darum, ihr jungen Frauen, die ihr alle die Gnade Gottes nötig habt, lernt, den Teufel in die Hölle zu schicken!

Das ist ein Gott gar wohlgefälliges Werk, an dem alle Beteiligten ihre Freude haben.

Manches Gute kann aus ihm entstehen und erwachsen.

Giovanni Boccaccio

Das Dekameron

Der neunte Tag des Dekameron. Die sechste Geschichte

ZWEI JUNGE MÄNNER ÜBERNACHTEN BEI EINEM WIRT. WÄHREND EINER DER BEIDEN MIT DESSEN TOCHTER SCHLÄFT, LEGT SICH SEINE FRAU VERSEHENTLICH ZU DEM ANDERN. SCHLIESSLICH STEIGT DER, WELCHER BEI DER TOCHTER WAR, IM GLAUBEN, ER BEGEBE SICH ZU SEINEM FREUNDE, ZU DEM VATER INS BETT UND BERICHTET IHM ALLES. ALS SIE DARÜBER INS STREITEN GERATEN, BEMERKT DIE FRAU IHREN IRRTUM, KRIECHT ZU DER TOCHTER INS BETT UND STIFTET MIT WENIGEN WORTEN FRIEDEN.

Calandrino, der schon manches Mal die Gesellschaft belustigt hatte, tat es auch diesmal wieder. Als die Damen sich über sein Abenteuer beruhigt hatten, gebot die Königin Panfilo, seine Geschichte zu erzählen. Er begann also:

Ihr ehrenwerten Damen, der Name des von Calandrino geliebten Mädchens hat mir die Geschichte einer andren Niccolosa ins Gedächtnis zurückgerufen. Ich möchte sie euch erzählen, damit ihr aus dieser Begebenheit erkennen könnt, wie die Geistesgegenwart einer klugen Frau einen großen Skandal zu verhindern wußte.

In der Mugnone-Ebene lebte vor nicht langer Zeit ein wackrer Mann, der Wanderern für Geld zu essen und zu trinken gab. Obwohl er ein armer Schlucker war und nur ein winziges Häuschen sein eigen nannte, behielt er im Notfalle zwar nicht jeden, doch diesen und jenen Bekannten auch zur Nacht dort. Dieser Mann hatte eine nette, ansehnliche Ehefrau und zwei Kinder, und zwar ein hübsches, anmutiges Mädchen von etwa fünfzehn, sechzehn Jahren, das noch keinen Mann hatte, und einen kleinen, etwa einjährigen Knaben, den die Mutter noch nährte.

Auf das Mädchen hatte ein ansehnlicher, artiger junger Edelmann aus unsrer Vaterstadt, der oft in diese Gegend kam, ein Auge geworfen und war lichterloh für sie entbrannt. Sehr geschmeichelt, von einem solchen Mann geliebt zu werden, suchte sie ihn durch besonders freundliches Betragen an sich zu fesseln und verliebte sich dabei ebenfalls in ihn. Schon des öfteren hätte sich eine Gelegenheit geboten, diese Liebe zu ihrer beider Freude zu genießen, wenn nicht Pinuccio – so hieß der Jüngling – stets gefürchtet hätte, daß für ihn und das Mädchen Schande daraus entstehen möchte. Da indes sein Verlangen von Tag zu Tag heftiger wurde, wünschte er schließlich nichts sehnlicher, als doch einmal mit ihr zusammen zu sein. Er verfiel nun auf den Gedanken, bei ihrem Vater zu übernachten, und hoffte, da er das Häuschen gut kannte, bei dieser Gelegenheit ein Zusammensein mit ihr möglich zu machen, ohne daß irgend jemand etwas davon gewahr würde. Was er sich vorgenommen, brachte er, zusammen mit einem vertrauten Gefährten namens Adriano, unverzüglich zur Ausführung. Sie mieteten sich eines Abends zu später Stunde zwei Klepper, bepackten diese mit Mantelsäcken, welche wahrscheinlich nichts anderes als Stroh enthielten, und schlugen, nachdem sie Florenz verlassen hatten, ihren Weg nach der Mugnone-Ebene ein, wo sie erst anlangten, als die Nacht bereits hereingebrochen war. Sie wandten nun ihre Pferde, ritten, als kehrten sie gerade aus der Romagna zurück, auf das Haus des wackren Mannes zu und begannen an die Tür zu pochen, die er ihnen als zwei guten Bekannten bereitwillig öffnete. Pinuccio sprach zu ihm: »Höre, du mußt uns heute nacht beherbergen. Wir glaubten Florenz noch erreichen zu können, doch haben wir es nicht fertiggebracht und sind trotz der späten Stunde, wie du siehst, erst hier angelangt.« Der Wirt erwiderte: »Pinuccio, du weißt, wie wenig ich darauf eingerichtet bin, solche Herren wie euch bei mir aufzunehmen. Da euch jedoch die Nacht hier überrascht hat und keine Zeit mehr ist, anderswohin zu reiten, will ich euch, so gut ich kann, gerne beherbergen.«

Die beiden Jünglinge sprangen nun von den Gäulen und traten, nachdem sie diese versorgt hatten, in das Häuschen, wo sie ihr mitgebrachtes Abendessen zusammen mit dem Wirte verzehrten. Dieser hatte in seinem Hause nur eine einzige kleine Kammer, in der er, so gut es ging, drei Betten aufgestellt hatte. Da zwei dieser Betten an der einen Seite der Kammer standen und das dritte gegenüber an der andern Seite, blieb zwischen ihnen nur eben so viel Raum, daß man sich gerade hindurchschlängeln konnte. Von diesen drei Betten ließ nun der Wirt das am wenigsten schlechte für die beiden Freunde herrichten und bat sie, sich dort niederzulegen. Bald darauf, als noch keiner der beiden schlief, obwohl beide sich so stellten, befahl der Wirt seiner Tochter, sich in eins der beiden andern Betten zu legen, und stieg schließlich mit seiner Frau in das dritte. Diese stellte neben ihrem Bett auch noch die Wiege auf, in der ihr kleiner Junge lag.

Nachdem solcherart jeder untergebracht war und als Pinuccio, der alles beobachtet hatte, nach einer Weile glaubte, daß alle schliefen, stand er leise auf, schlich sich an das Lager seiner jungen Geliebten und legte sich bei ihr nieder. Er wurde von ihr zwar in großer Besorgnis, doch auch mit Freude empfangen und blieb bei ihr, alle jene Wonnen genießend, nach denen beide so sehnsüchtig verlangt hatten. Während nun Pinuccio bei seiner Liebsten lag, geschah es, daß eine Katze in der Dunkelheit irgend etwas umstieß. Darüber erwachte die Frau des Wirtes, und da sie befürchtete, es möchte etwas beschädigt sein, stand sie leise auf und tappte, so wie sie war, in der Dunkelheit dorthin, wo sie das Geräusch gehört hatte. Adriano, der hierauf nicht geachtet hatte, erhob sich zufällig gleichzeitig eines körperlichen Bedürfnisses wegen. Als er sich aufmachte, um dieses zu befriedigen, stieß er an die Wiege, welche die Frau in den Weg gestellt hatte. Er hob sie, da er nicht daran vorbei konnte, kurzerhand von ihrem Platze auf und stellte sie neben das Bett, in dem er selber gelegen hatte. Nachdem er dem Bedürfnis, das ihn zum Aufstehen veranlaßt hatte, nachgekommen war, kehrte er zurück und legte sich, ohne weiter an die Wiege zu denken, wieder in sein Bett.

Die Frau, die indessen herumgesucht und festgestellt hatte, daß nicht jenes, dem ihre Besorgnis galt, zerbrochen war, machte sich nicht erst die Mühe, Licht anzuzünden, um nachzusehen, sondern schalt die Katze aus und kehrte sodann in die Schlafkammer zurück. Dort tappte sie auf das Bett zu, in dem ihr Mann schlief. Da sie jedoch die Wiege hier nicht fand, sprach sie zu sich selber: ›Mein Gott, ich Unglücksweib! Da seht, was ich hier anstelle! Um Himmels willen, bald wäre ich in das Bett unsrer Gäste gekrochen!‹ – Sie ging also noch ein paar Schritte weiter, fand die Wiege und legte sich in das Bett, neben dem diese stand, zu Adriano – im festen Glauben, ihren Mann neben sich zu haben. Adriano, der noch nicht wieder eingeschlafen war, nahm sie, als er es gewahr wurde, gar fröhlich und freundlich in Empfang und segelte, ohne ein Wort zu verlieren, zum nicht geringen Vergnügen der Frau sogleich mehr als einmal mit ihr scharf gegen den Wind.

Währenddessen begann Pinuccio zu befürchten, daß der Schlaf ihn an der Seite seines Mädchens übermannen möchte, und da er alles, was er begehrte, genossen hatte, erhob er sich, um zum Schlafen wieder in sein Bett zurückzukehren. Dabei stieß er auf die Wiege. Im Glauben, diese stehe neben dem Bette der Wirtin, schlich er noch ein Stückchen weiter und legte sich darin zur Seite des Wirtes nieder, der darüber erwachte. Pinuccio aber wähnte sich bei seinem Freunde Adriano und sagte infolgedessen leise zu ihm: »Ach, ich sage dir, es hat noch nichts Süßeres gegeben als diese Niccolosa! Bei Gott, ich habe bei ihr die höchste Lust genossen, die je einem Manne von einer Frau geschenkt ward. Ich sage dir, ich bin wohl an die sechsmal mit ihr auf die Reise gegangen, seitdem ich dich verließ.«

Als der Wirt diese Neuigkeiten, die ihm keineswegs gefielen, vernahm, sagte er zuerst zu sich selbst: ›Was, zum Teufel, macht denn der hier?‹ Dann aber rief er zornig und unbedacht: »Pinuccio, das ist eine große Niedertracht von dir! Ich weiß nicht, warum du mir dies angetan hast. Aber, zum Henker, du sollst es mit büßen!« Pinuccio, der nicht eben zu den gescheitesten Köpfen gehörte, suchte, als er seinen Irrtum bemerkte, nicht mehr zu retten, was vielleicht noch zu retten gewesen wäre, sondern erwiderte: »Wofür soll ich dir büßen? Was kannst du mir schon tun?« Die Frau des Wirtes, die bei ihrem Manne zu liegen glaubte, sagte zu Adriano: »Ach herrje, höre nur unsere Gäste! Sie haben wer weiß was für einen Streit miteinander!« Adriano erwiderte lachend: »Lasse sie! Der Kuckuck soll sie holen! Sie haben gestern abend zuviel getrunken.« Die Frau, der es schon vorher so vorgekommen war, als höre sie ihren Mann schimpfen, erkannte nun, da sie Adrianos Stimme vernahm, klar, wo und bei wem sie lag. Ohne noch ein Wort zu sagen, stand sie als gewitzte Frau sogleich auf, ergriff die Wiege ihres Sohnes und trug sie, obwohl man in der Kammer nicht die Hand vor Augen sehen konnte, nach Gutdünken an das Bett ihrer Tochter, bei der sie selbst sich niederlegte. Dann rief sie, als sei sie soeben über den Lärm erwacht, nach ihrem Mann und fragte ihn, was er mit Pinuccio zu streiten habe. Ihr Mann erwiderte: »Hast du nicht gehört, was er heute nacht mit Niccolosa getrieben hat?« Die

Frau erwiderte: »Er lügt aus vollem Halse! Bei Niccolosa war er nicht, denn hier habe ich selbst mich niedergelegt und habe von da an nicht mehr schlafen können. Du bist ein rechter Esel, wenn du ihm glaubst. Ihr sauft am Abend so viel, daß ihr die ganze Nacht träumt, aus und ein lauft, ohne richtig wach zu werden, und schließlich wunder was glaubt. Es ist ein Jammer, daß ihr euch dabei nicht den Hals brecht! Aber was treibt eigentlich dieser Pinuccio dort? Warum liegt er nicht in seinem Bett?«

Adriano bemerkte, daß die Frau auf kluge Weise ihre eigene Schande und die ihrer Tochter zu verdecken suchte, er mischte sich daher ins Gespräch: »Pinuccio, ich habe dir hundertmal gesagt, du sollst nicht immer herumlaufen! Deine schlechte Angewohnheit, im Schlafe umherzuwandern und Räubergeschichten zu erzählen, die du geträumt hast, wird dich wahrlich noch einmal ins Unglück stürzen. Komm sofort hierher zurück, oder Gott soll dir eine böse Nacht schicken!«

Als der Wirt hörte, was seine Frau und Adriano sagten, glaubte er wahrhaftig, daß Pinuccio im Traume spreche. Er packte ihn darum an den Schultern, begann ihn kräftig zu rütteln und zu schütten und rief ihm zu: »Pinuccio, wach auf! Geh in dein Bett zurück!« Pinuccio, der wohl begriff, was Adriano mit dem Gesagten bezweckte, begann jetzt wie einer, der noch vom Traum befangen ist, allerlei Unsinn zu schwatzen, worüber der Wirt in ein lautes Gelächter ausbrach.

Schließlich, als Pinuccio sich hin und her geschüttelt fühlte, stellte er sich, als erwache er, und fragte Adriano:

»Ist es schon Tag, daß du mich wachschüttelst?« Adriano erwiderte: »Ja, komm nur her!« Pinuccio spielte noch ein Weilchen den Verschlafenen, schließlich aber erhob er sich von der Seite des Wirtes und kehrte auf sein Lager bei Adriano zurück.

Als es Tag geworden und der Wirt aufgestanden war, begann er erneut zu lachen und sich über Pinuccio zu belustigen. Darauf nun zäumten die beiden Freunde unter allerlei Scherzreden ihre Gäule, packten Ihre Mantelsäcke und stiegen, nachdem sie noch mit dem Wirte getrunken hatten, auf ihre Klepper. Recht zufrieden über den Verlauf ihres Abenteuers und über den gehabten Erfolg, kehrten sie sodann nach Florenz zurück. Später traf Pinuccio, freilich auf anderen Wegen, noch oft mit seiner Niccolosa zusammen, die ihrer Mutter geschworen hatte, daß er in jener Nacht wirklich nur geträumt hätte. So schien es denn der wackren Frau, die Adrianos Umarmungen nicht vergessen hatte, daß sie allein in jener Nacht gewacht habe.

Giovanni Boccaccio

Das Dekameron

Der neunte Tag des Dekameron. Die zehnte Geschichte

Don Gianni beschwört auf die Bitten des Gevatters Pietro dessen Frau, um sie in eine Stute zu verwandeln. Als er dabei ist, ihr den Schwanz anzuheften, vernichtet der Gevatter Pietro den ganzen Zauber dadurch, dass er sagt, er wünsche keinen Schwanz.

Diese Geschichte der Königin gab den Damen Veranlassung, ein wenig zu lästern, brachte sie doch die jungen Männer zum Lachen. Als alle sich wieder beruhigt hatten, begann Dioneo folgendermaßen:

Ihr reizenden Damen, ein schwarzer Rabe wird die Schönheit einer Schar weißer Tauben mehr hervorheben, als ein lichter Schwan es vermöchte; ebenso wird unter vielen klugen Leuten ein weniger Gescheiter nicht nur den Glanz und die Erhabenheit ihrer Weisheit erhöhen, sondern sogar noch Vergnügen und Kurzweil verbreiten. Da nun ihr alle so klug und verständig seid, möchte denn ich, ein rechter Tor, eure Tugend durch meine Unzulänglichkeit desto heller erstrahlen lassen und denke, daß es euch lieber sein wird, als wollte ich mit allzu großer Kunst die eure in den Schatten stellen. Um mich nun zu zeigen, wie ich wirklich bin, bedarf ich eines weiteren Spielfeldes, und ihr müßt, was ich euch erzählen will, mit mehr Nachsicht ertragen, als es vonnöten wäre, nennte ich mehr Weisheit mein eigen. Ich werde euch ein nicht sehr langes Geschichtchen erzählen, aus dem ihr ersehen sollt, wie sorgsam man alte Vorschriften jener Leute befolgen muß, die durch die Kraft der Zauberei etwas zuwege bringen wollen, und wie schon der kleinste Fehler, den man begeht, das ganze Werk des Zauberers zunichte machen kann.

In Barletta lebte einst der Priester Don Gianni di Barolo. Da seine Pfarre sehr arm war, begann er mit einem Pferde mal hier, mal dort Waren auf die Jahrmärkte Apuliens zu bringen, um durch An- und Verkauf seine Lage zu verbessern. Bei diesen Geschäften schloß er enge Freundschaft mit einem gewissen Pietro aus Tresanti, der dem gleichen Gewerbe mit einem Esel nachging. Nach apulischer Sitte nannte er jenen als Beweis seiner Zuneigung und Freundschaft bald nicht anders als Gevatter Pietro. Sooft Pietro nach Barletta kam, führte er ihn in seine Kirche, behielt ihn über Nacht bei sich und bewirtete ihn, so gut er nur konnte. Doch auch der Gevatter Pietro, ein armer Schlucker, der nur ein winziges Häuschen in Tresanti sein eigen nannte, welches kaum für ihn, seine schöne junge Frau und seinen Esel ausreichte, lud Don Gianni, jedesmal wenn er sich in Trescante aufhielt, zu sich in sein Häuschen ein, wo er ihm in Anbetracht der ihm selbst widerfahrenen Ehren ebenfalls nach besten Kräften bewirtet. Freilich konnte er ihn hinsichtlich der

Übernachtung nicht so dienen, wie er es gern gewünscht hätte, da er selber nur ein armseliges Bett besaß, in dem er mit seiner hübschen Frau schlief. Doch einigten sie sich so, daß Don Gianni sich in dem Ställchen, in dem auch sein Pferd neben dem Esel Pietros stand, auf einem Strohlager ausstrecken konnte.

Die Frau, die wohl wußte, wieviel Ehre der Priester ihrem Manne stets in Barletta antat, war schon des öfteren drauf und dran gewesen, bei ihrer Nachbarin Carapresa, der Braut des Richters Leo, zu übernachten, damit der Priester zusammen mit ihrem Mann im Bette schlafen könne. Doch hatte Don Gianni, sooft sie diesen Vorschlag machte, niemals seine Zustimmung dazu gegeben und unter anderm auch einmal zu ihr gesagt: »Gevatterin Gemmata, mache dir meinetwegen keine Sorge. Ich fühle mich sehr wohl dort im Stall, denn wenn es mir Spaß macht, verwandle ich meine Stute in ein hübsches Mädchen und treibe so lange meinen Spaß mit ihr, bis ich sie wieder in eine Stute zurückverwandle. Darum möchte ich mich nicht von ihr trennen.«

Die junge Einfalt war über seine Rede sehr verwundert, glaubte ihm alles wortwörtlich und erzählte es ihrem Manne wieder, wobei sie noch hinzufügte: »Wenn er ein so guter Freund von dir ist, wie du immer sagst, warum läßt du dir dann nicht dieses Zauberkunststück beibringen? Dann könntest du mich in eine Stute verwandeln und könntest deine Geschäfte fortan mit Esel und Stute erledigen, so daß wir auf diese Weise das Doppelte verdienten.

Und wenn wir dann wieder zu Hause wären, würdest du mich wieder in eine Frau zurückverwandeln!«

Gevatter Pietro, der recht einfältig war, glaubte alles und hielt ihren Rat für sehr gut. Er begann deshalb, Don Gianni ununterbrochen zuzusetzen, ihm doch dieses Zauberstück beizubringen. Don Gianni versuchte nach Kräften, ihm diesen törichten Gedanken auszutreiben. Da es ihm jedoch nicht gelang, sagte er schließlich: »Nun wohl, wenn ihr darauf besteht, werden wir morgen früh wie üblich vor Tag aufstehen, und ich werde euch dann zeigen, wie ich es mache. Das schwierigste bei der ganzen Sache ist fürwahr, den Schwanz anzuheften. Du wirst es schon selber sehen.«

Gevatter Pietro und Gevatterin Gemmata, die mit großer Ungeduld dies Ereignis erwarteten, taten in der Nacht kaum noch ein Auge zu, standen bereits im ersten Morgengrauen auf und weckten Don Gianni. Dieser erschien, nachdem er sich erhoben hatte, im Hemd in der kleinen Kammer des Gevatters Pietro und sprach: »Ich kenne auf der ganzen Welt niemand außer euch, für den ich dies tun würde. Da ihr es aber gar so gerne möchtet, soll es denn sein. Wollt ihr indes, daß es gelingt, müßt ihr auf jeden Fall alles genau befolgen, was ich euch sagen werde.« Beide versicherten, daß sie alles tun wollten, was er verlange. So ergriff denn Don Gianni eine Kerze, drückte sie dem Gevatter Pietro in die Hand und sagte zu ihm: »Gib genau acht, was ich tue, und merke dir genau, was ich sagen werde. Wenn du aber nicht alles gleich wieder verderben willst, hüte dich, auch nur ein Sterbenswörtchen zu sagen, was du auch immer hören oder sehen magst. Und bitte Gott, daß es uns gelingt, den Schwanz gut anzuheften.« Gevatter Pietro ergriff das Licht und versprach, alles genau zu befolgen. Darauf gebot Don Gianni der Gevatterin Gemmata, sich so nackt auszuziehen, wie sie auf die Welt gekommen sei, und stellte sie auf Händen und Füßen so auf die Erde, wie die Stuten stehen. Dabei befahl er ihr, ebenfalls kein Wort zu sprechen, was auch geschehen möge. Nun begann er ihr mit den Händen über das Gesicht und den Kopf zu streichen und murmelte dabei: »Dies werde ein schöner Stutenkopf.« Dann, ihr Haar berührend: »Dies werde eine schöne Stutenmähne!« Ihre Arme fassend: »Dieses werden schöne Beine und Füße einer Stute!« Als er aber ihre Brüste berührte, die herrlich fest und rund waren, erwachte und erhob sich einer, der nicht gerufen war, während Don Gianni flüsterte: »Dies werde ein schöner Stutenleib!« Ebenso verfuhr er mit Rücken, Bauch und Kreuz, mit Schenkeln und Beinen. Schließlich, als nichts anderes mehr geblieben war als der Schwanz, hob er blitzschnell sein Hemd, ergriff den Pflanzstock, mit dem er Menschen zu pflanzen pflegte, und sprach, indem er diesen schnell in die dafür gemachte Furche steckte: »Und dies werde ein schöner Stutenschwanz!

Gevatter Pietro, der bis dahin alles mit größter Aufmerksamkeit verfolgt hatte, rief, als er dieses letzte sah, das ihm durchaus nicht gefiel: »He! Don Gianni, ich will keinen Schwanz! Ich will keinen Schwanz!« Jedoch war der Wurzelsaft, nach dem alle Pflanzen gedeihen, bereits verströmt, als Don Gianni den Pflanzstock zurückzog und ausrief: »Wehe, Gevatter Pietro, was hast du getan! Habe ich dir nicht gesagt, daß du keinen Laut von dir geben dürftest, was immer du auch sehen möchtest? Die Stute war fast fertig. Du aber hast durch dein Dazwischenreden alles zerstört, denn jetzt gibt es keine Möglichkeit mehr, es noch einmal zu machen.« Gevatter Pietro sagte: »Auch gut; ich wollte eben keinen solchen Schwanz haben. Warum sagtet Ihr nicht zu mir: ›Mach du ihn!‹ Außerdem habt Ihr ihn viel zu tief angesetzt!« Don Gianni erwiderte: »Weil du ihn das erstemal nicht so gut anzusetzen gewußt hättest wie ich.«

Als die junge Frau diese Worte hörte, stand sie auf und sagte in aller Unschuld zu ihrem Mann: »Ach, du Schafskopf! Warum hast du deinen und meinen Vorteil auf diese Art zerschlagen? Hast du je eine Stute ohne Schwanz gesehen? Gott steh mit bei, du bist wahrlich arm, aber du verdientest, noch viel, viel ärmer zu sein!« Da es jedoch infolge des Dazwischenredens des Gevatters Pietro keine Möglichkeit mehr gab, aus der jungen Frau eine Stute zu machen, zog diese sich betrübt und niedergeschlagen wieder an, und Gevatter Pietro mußte auch weiterhin, wie bisher, allein mit dem Esel seinem alten Gewerbe nachgehen. Zusammen mit Don Gianni zog er auf den Jahrmarkt von Bitonto, doch bat er ihn nie wieder um jenen Dienst.

Jean de La Fontaine

Die Wette der drei Freundinnen

Drei junge Frauen saßen einst beim Wein
Und unterhielten sich von ihren Streichen.
Sie hatten Gatten, aber obendrein
Auch ihren Freund – gewiß ein gutes Zeichen.
Die eine sprach: »Der König aller Gatten
Ist meiner, er stellt alle in den Schatten;
Ich kann mich jederzeit von dannen schleichen
Und suchen meine Lust, der Klotz ist still,
Es fällt mir leicht, wenn ich beweisen will,
Daß zwei mal zwei gleich fünf.« – »Bei meinem Eid«,
Sprach drauf die zweite, »hätt ich solchen Mann,
Ich wär ihn zu verschenken gleich bereit;
Denn seht, ich habe keine Freude dran,
Wenn mir ein Streich nicht etwas Mühe macht.
Der Meine ist nicht ganz so ungescheit,
Nein, Gott sei Dank nicht; ich muß wohlbedacht
Und schlau zu nützen wissen Ort und Zeit,
Um ihn nach Lust und Laune zu betrügen.
Doch um so süßer ist dann mein Vergnügen
Und inniger des Liebsten Dankbarkeit.

In Eure Lage möcht ich mich nicht fügen,
Trotzdem Ihr sagt, so wohl versorgt zu sein;
Ich tauschte nicht Galan noch Gatten ein.«
Die dritte Freundin gab den beiden recht:
Sie meinte, daß der Liebe nicht allein
Ein sanfter Gatte dienlich, obendrein
Sei auch ein wenig leichte Müh nicht schlecht.
Noch länger währte dieses Wortgefecht,
In dem sie ihren Standpunkt motivierten
Und eigensinnig alle triumphierten,
Bis schließlich eine sprach: »Was soll das Streiten?
Wem hier der Sieg gebührt, das – laßt euch raten -
Das zeigt sich nicht in Worten, sondern Taten.
Mag jede einen neuen Streich bereiten,
Und jene, die am schlechtesten fährt dabei,
Muß Strafe zahlen an die andern zwei.«
Die beiden riefen: »Ja, es sei, es sei!«
Und alle schworen, später die Geschichten
Wahrheitsgetreu einander zu berichten,
Und eine ward zur Richterin erwählt.
Was jede trieb, das sei euch nun erzählt.

Die eine, der die meisten Hindernisse
Im Wege standen, liebte einen Knaben,
Der zart und lieblich war wie die Narzisse.
Jetzt hört, was diese zwei begonnen haben.
Sie hatten ihrer Liebe nur verstohlen
Sich freuen können, mußten immerfort
Sich andre Häuser leihen und sich dort

Das, was sie wünschten, im Verborgnen holen.
Um nun für ihre Lustbetätigungen
Zu finden einen angenehmren Ort,
Maskierte jene kluge Frau den Jungen
Als Kammerzofe, und er ging sofort
Sich vorzustellen mit bescheidnen Mienen
Und bot sich an, als Jungfer ihr zu dienen.
Der Gatte sah das Mädchen lüstern an,
Es schien ihm köstlich, mit ihr anzuknüpfen
Und ihr gelegentlich das Hemd zu lüpfen;
Er stimmte bei, daß sie den Platz gewann.
So trat sie ein. Doch welche Müh man hatte!
Ein hübsches Zöfchen, ein galanter Gatte –
Wo das zusammentrifft, da ist es schwierig.
Er hat im Anfang zwar nicht viel gewagt,
Sah nicht mal hin, als sei er gar nicht gierig
Auf die verborgnen Reize dieser Magd;
Doch bald darauf begehrte er sie sehr,
Er gab Geschenke und versprach noch mehr.
Bis daß sie tat, als wolle sie sich geben.
Um ihm dem Streich entsprechend einzufangen,
Sprach abends sie mit schämig roten Wangen:
»Madame ist grämlich heut; sie wünscht soeben
Die Nacht allein zu sein.« Sogleich begeben
Sich Herr und Magd, so wie's geheim beschlossen,
Ins Bett hinein. Kaum liegt der Sündenbock
und sie steht da und löst sich noch den Rock,
Da kommt Madame. Wen, glaubt ihr, hat's verdrossen?
Den Herrn Gemahl, den man zum Narren hielt.

»Ho!« rief die Gattin lachend, »welche Possen!
Das Euch Gewohnte scheint genug genossen,
Daß Eure Lust nach frischen Früchten zielt.
Doch, werter Herr, beim heiligen Johann,
Was sagtet Ihr mir das nicht früher an?
Ich hätte längst schon Jungfern angestellt.
Nur dieser müßt Ihr aus bestimmten Gründen
Entsagen, sucht Euch für galante Sünden
Nur andre aus. – Und du, mein kleiner Held?
Gebraucht die Jungfer gleiches Brot wie ich?
Du lüstern Ding, ist hier dein Arbeitsfeld?
O pfui, so jung und schon so liederlich!
Ich bin mit Schönem selbst noch gut bestellt
Und bin nicht auszustechen. Nun, wir kennen
Ein gutes Mittel: fürder sollst du dich
Nicht eine Nacht von meinem Bette trennen.
Nun spute dich, sogleich dorthin zu rennen.
Die Kleider holst du morgen. Wenn ich mich
Für dich nicht schämte und Skandal nicht scheute,
So jagt ich dich im Hemd jetzt vor die Leute,
Doch ich bin gut und will kein Aufsehn machen.
In Zukunft will ich dich gestreng bewachen,
Du kommst mir Tag und Nacht nicht von der Seite.
Was reg ich mich noch auf, es ist zum Lachen.
Und dieser Nacht folgt keine solche zweite.«
Die Zofe hört beschämt der Herrin Drohn,
Sie sammelt schluchzend ihre Siebensachen
Und eilt, verzichtend auf des Gatten Lohn,
Zu spielen jetzt die andere Person.

Zwei Dienste füllt sie aus, und ohne Klage:
Geliebter nachts und Kammermaus bei Tage.
In zwei Gestalten sorgt sie schön fürs Rechte.
Der arme Gatte hat's für Glück genommen,
Daß er so leichten Kaufs davongekommen.
Nun er alleine schläft, hat alle Nächte
Das Liebespaar in Seligkeit geschwommen.
Wohl wissend, daß nicht wiederkehrt die Stunde,
Die man verliert in Amors buntem Reich,
War keiner träg in diesem süßen Bunde. -
Das war der einen Freundin neuer Streich.

Die andre, deren Gatte alles glaubte,
Saß eines Tags mit ihm beim Birnenbaum.
Nun hört und staunt, was sie sich dort erlaubte,
Es ist so märchenhaft, man glaubt es kaum.
Der Kammerdiener war dabei, ein Mann
Von schönem Wuchs und trefflichen Manieren,
Der gut verstand, die Leute zu regieren.
Die Dame sprach: »Es kommt die Lust mich an,
Die Güte dieser Birnen zu erproben.
Wilhelm, hinauf und schüttle sie herunter!«
Wilhelm ersteigt den Baum. Der Schelm tut droben,
Als scheine ihm, der Gatte mache munter
Sich drunten über seine Gattin her;
Er reibt die Augen sich, als staune er.
»Wahrhaftig, Herr«, beginnt er dann zu sagen,
»Ich muß mich wundern, daß Ihr Euch nicht mehr
Beherrschen könnt. Was laßt Ihr mich da sehen!

Will Euch Madame zu kosen jetzt behagen,
So mögt Ihr doch ein wenig abseits gehen.
Wer treibt vor fremden Augen so sein Spiel!
Und achtet Ihr den Diener gleich nicht viel,
So seid Ihr Euch doch selbst die Achtung schuldig.
Ein kluger Mann ist nie so ungeduldig,
Vertraulichkeiten wollen ihre Zeit.
Die Sommernächte reichen wohl noch immer.
Und wozu hier? Für das stehn Euch bereit
Viel gute Betten und viel schöne Zimmer.«
Die Dame spricht: »Was redet dieser Mann?
Mir scheint, er träumt. Ist er nicht recht gescheit?
Was maßt sich dieser Narr zu sagen an.
Herunter, Freund; da wirst du besser sehen.«
Und Wilhelm kommt herab. »Nun also«, spricht
Der Herr, »wir spielen?«
Wilhelm:
Jetzo freilich nicht.
Der Gatte:
Wie Jetzo?
Wilhelm:
Herr, wie soll ich das verstehen?
Ich hänge mich den Raben hin zum Fraß,
Wenn Ihr Madame soeben nicht im Gras …
Die Frau:
Du ließest besser solche Albernheiten,
Sie könnten sonst noch Schläge dir bereiten.
Der Gatte:
Verehrte, nein; ich lasse ihn sofort

Ins Tollhaus stecken – auf mein Ehrenwort!
Wilhelm:
Ist das denn Tollheit, wenn man sagt, was man
Gesehen hat?
Die Frau:
Und was hast du gesehen?
Wilhelm:
Ich sah, ich wiederhol es, alles an.
Was Ihr Madame, mit Euch hier ließt geschehen:
Ich sah das Spiel der Liebe Euch begehen -
Falls nicht ein Zauber an dem Birnbaum dran.
Die Frau:
Ein Zauber? Bindest du uns Märchen auf?
Der Gatte:
Ich will es selber sehn, ich muß hinauf.
Der Baum wird uns die Wahrheit sagen müssen.
Als kaum der Herr den Birnenbaum erstiegen,
Sieht er den Diener bei der Herrin liegen
Und sieht die beiden kosen, sieht sie küssen.
Er hätte sich beinah den Hals gebrochen,
So schnell ist er vom Baum herabgekrochen,
Damit die Dinge nicht zu Ende kommen.
Sie sind jedoch so weit schon vorgeschritten,
Daß seine Ehre einen Stoß erlitten.
»Halt!« ruft er. »Halt!« und fühlt sich ganz benommen.
»Vor meinen Augen! Heilige Marie!«
»Was fehlt Euch?« fragt die Frau. »Was habt Ihr, wie?«
Der Gatte:
Du wagst zu fragen?

Die Frau:
Warum nicht, mein Lieber?
Der Gatte:
Warum? Nein, solche Frechheit sah ich nie!
Die Frau:
Das ist zuviel. Sprich deutlicher darüber.
Der Gatte:
Der Schurke da, hat er dich nicht gekost?
Die Frau:
Der mich? Mein Herr, Ihr seid wohl nicht bei Trost.
Der Gatte:
Hab ich die Sehkraft, den Verstand verloren?
Was war es denn?
Die Frau:
Ich trau nicht meinen Ohren.
Vor deinen Augen sollt ich das begehen!
Ich wär verrückt! Fänd ich nicht Zeit genug,
Mich zu vergnügen, wenn nach solchem Trug
Mich sehr verlangte?
Der Gatte:
Oh, ich muß gestehen,
Ich weiß nicht, was ich dazu sagen soll.
Der Baum betrügt mich offenbar. Ich muß
Noch einmal sehn.
Er steigt erwartungsvoll
Von neuem in den Baum. Mit neuem Kuß
Beginnt der Schelm und führt den Tanz zum Schluß.
Der Gatte sieht ihm zu, indes erwächst
Ihm diesmal aus dem Anblick kein Verdruß.

Er kommt herab und spricht bestimmt und fest:
»Ich sage euch, der Birnbaum ist verhext.«
»Da er so üble Dinge sehen läßt«,
Sagt ernst die Frau, »so muß der Baum ins Feuer!
Ruft Knechte her und laßt ihn niederhauen,
Damit er nicht noch andre täuscht mit neuer
Vorspiegelung gemeiner Abenteuer.«
Die Knechte rücken an, und fragend schauen
Sie hin zum Baum, welch grausiges Verbrechen
Der wohl begangen habe, das den Herrn
Bestimmt, das Todesurteil auszusprechen.
Doch liegt der Dame die Erklärung fern.
Sie sagt: »So schlagt nur zu, was geht's euch an!«
- So ist die zweite zu dem Ziel gekommen,
Das auf die Wette sie sich vorgenommen.
Und nun zur dritten; hört, was sie begann.

Bei irgendeiner guten Freundin fand
Sie stets Gelegenheit zum Rendezvous,
Sie selber tat ihr bestes Teil dazu,
Doch er, mit dem die Liebe sie verband.
Hat dieses Vergnügen nicht für voll genommen:
Er will mit ihr allein zusammenkommen
Und bittet sie, ihm eine Nacht zu schenken.
Sie sagt ihm: »Zwei! Um so geringe Sache
Befällt mich, Liebster, keinerlei Bedenken.
Seid überzeugt, daß ich das Meine mache,
Den Gatten fortzuschaffen für die Zeit.«
Sie hatte wohl es nötig, eine Frau

Von Geist zu sein: der Mann, der sie gefreit,
Warf nicht sein Geld hinaus für weite Reisen,
Auch stellte er sich nicht in Rom zur Schau,
Da Ablaß doch viel näher zu erhalten.
Dagegen ging, um Eifer zu beweisen,
Die Dame stets so weit, wie möglich war.
Wallfahrten hatten oft schon hergehalten,
Doch war's auch ihr wie allen Schönen eigen:
Sie brauchte Sonderheiten und Gefahr,
Um ihre Glut in vollem Glanz zu zeigen.
Sie windet abends um die große Zehe
Ein Garn, das mit der Haustür sie verbindet,
Begibt sich so ins Bett zum Mann der Ehe
Und richtet's ein, daß er den Faden findet.
Sofort vermutet Heinrich eine List.
Er läßt nicht merken, daß er wach noch ist,
Er grübelt lange nach, erhebt sich endlich
Und schleicht im Glauben, daß die Gattin schlief,
Dem Faden nach, der seinen Fingern kenntlich
Hinaus bis vor die Tür des Hauses lief.
Er folgert, daß man ihn betrügen wolle,
Daß irgendein Galan durch Ziehn am Faden
Der Dame seine Ankunft melden solle,
Um sie hinab zum Stelldichein zu laden,
Sobald er selber schlief in tiefer Ruh.
Wozu denn sonst das Fadenspiel, wozu?
Sehr naheliegend schien ihm auch die Sache,
Daß man ihn gern einmal zum Hahnrei mache.
In Zorngefühlen hat er sich bis an

Die Zähne schwer bewaffnet, zieht auf Wache
Vors Haus hinaus, damit er ohne Schonung
Den Schuft erwischen und bestrafen kann.
Nun muß der Leser wissen, daß die Wohnung
Nach rückwärts hin Gelegenheit besaß,
Den Freund hereinzulassen. Diesen Spaß
Besorgt die Kammerfrau, die dienstbeflissen
Der Herrin hilft; durch solchen Beistand wissen
Dienstboten große Nachsicht zu erlangen.
Indes der Gatte draußen umgegangen,
Sind unsre Schöne und der Freund Galan
Gar flink zur Hand, der Himmel weiß es wie.
Die Glut zu löschen, hat man viel getan
In dieser Nacht, und, niemand störte sie.
Es ging aufs beste, dank der Dienerin,
Die trefflich Sorge trug, daß der Kumpan
Zur rechten Zeit entwich auf dunkler Bahn.
Der Gatte kommt zurück bei Tagbeginn,
Nimmt seinen Platz im Bette ein und sagt,
Migräne habe ihn so sehr geplagt. -
Zwei Tage drauf legt die Gevatterin
Den Faden wieder an, den Heinrich fühlt.
Von neuem kommt Verdacht, der ihn durchwühlt,
Er läuft auf seinen Posten; auf den seinigen
Eilt unser Held, sich wonnig zu vereinigen
Mit ihr, die ihn erwartet. Man befindet
Sich wohl dabei. – Zum dritten Male bindet
Madame den Faden an, und wiederum
Späht Heinrich draußen vor dem Haus herum

Und hat dem Fremden einen Platz beschieden,
Mit welchem dieser überaus zufrieden.
Dann ist's genug; die Gluten sind verglommen,
Es könnte nur noch laue Asche kommen,
Drei Akte reichen aus fürs schönste Stück.
Nachdem der Wicht um Mitternacht entwichen,
Kam sein vertrauter Diener angeschlichen
Und ging ins Garn. Der Gatte hatte Glück,
Er stürzt hervor, verstellt dem Jämmerlichen
Den Weg und zwingt ihn, bei ihm einzutreten.
Er weiß nicht, daß es nur ein Diener ist,
Er packt ihn fest und möchte ihn zerkneten.
Geschrei entsteht, die Gattin läuft herbei
Und ruft: »Was soll der Lärm? Was soll der Zwist?«
Der Bursche fleht, daß man ihm gnädig sei;
Er sei gekommen, um zu dieser Frist
Die Zofe mit dem Garn herbeizuziehn,
Damit sie öffne, denn seit mehrern Wochen
Hätten sie beide sich die Ehe versprochen.
»Das also ist's, was mir so seltsam schien«,
Fährt zornig nun Madame die Zofe an,
»Das ist's, weshalb ich jüngst an deiner Zehe
Den Faden sah. Ich tat das gleiche dann,
Um festzustellen, was darauf geschehe.
Nun haben wir's. Genug, er sei dein Mann,
Viel Glück dazu! Doch fort aus meinem Haus!«
Der Herr ist mild gestimmt und schließt den Streit,
Das Weitre habe nun bis morgen Zeit.
Man stattet andern Tags die beiden aus,

Der Herr die Braut, der Schelm den Bräutigam,
Und führt gemeinsam zum Altar das Paar,
Das längst schon gut bekannt zusammen war.
Womit der dritte Streich sein Ende nahm.

Nun, welcher ist der beste? Ihr entscheidet!
Der Freundin, die das Urteil fällen sollte,
Ward hier ein Spruch gar meisterhaft verleidet,
Da jeder sie die Palme reichen wollte.
Und welcher Recht und Sieg hier zuzuschreiben,
Die Frage wird wohl ewig offenbleiben.

Eumolpos erzählt Encolpius, um ihn aufzuheitern, eines seiner Abenteuer

»Als ich einmal dienstlich mit einem Quästor nach Asien reiste, wurde ich in Pergamon gastlich aufgenommen. Es gefiel mir dort gut, nicht nur wegen der ansehnlichen Häuser, sondern auch wegen des außergewöhnlich schönen Sohnes, den mein Wirt besaß. Ich überlegte, wie ich mit ihm anbändeln könnte, ohne den Argwohn des Vaters zu erregen: Wenn nun das Gespräch bei Tisch auf das Thema Knabenliebe kam, errötete ich tief, und durch eine strenge Miene gab ich zu erkennen, daß derartig heikle Reden meine Ohren beleidigen. Besonders die Mutter hielt mich deshalb für einen recht sittenstrengen Philosophen. Bald durfte ich den Jungen zum Gymnasium begleiten und seine Schulaufgaben überwachen. Wenig später habe ich ihn dann selbst unterrichtet und erzogen, damit ja keiner, der es auf ihn abgesehen hatte, ins Haus kam.

An einem schulfreien Festtag ergab es sich, daß wir im Speisesaal beieinander lagen. Nach einem fröhlichen Abend waren wir zu faul gewesen, aufzustehen. Um Mitternacht bemerkte ich, daß der Junge noch wach war. Leise und schüchtern wandte ich mich mit meinem Gelöbnis an die Göttin der Liebe.

›Allmächtige Venus, wenn du mir erlaubst, diesen Jungen zu küssen, ohne daß er etwas davon merkt, so will ich ihm morgen ein Taubenpärchen schenken.‹

Als der Junge hörte, was ich mir mein Vergnügen kosten lassen wollte, fing er sofort laut zu schnarchen an. Darauf ging ich zu dem Heuchler hin und gab ihm einige Küsse. Mit diesem Anfang zufrieden, stand ich früh auf und kaufte ein Paar schöner Tauben und brachte sie ihm, der schon darauf wartete, daß ich mein Versprechen erfüllte.

Auch in der nächsten Nacht war die Gelegenheit günstig, diesmal ging ich jedoch weiter.

›Wenn ich ihn mit verwegener Hand berühren darf, ohne daß er etwas davon spürt, schenke ich ihm für sein Erdulden zwei rauflustige Kampfhähne.‹

Bei diesem Versprechen kam mir der Knabe freiwillig näher, ich glaube, er fürchtete, ich könnte wieder einschlafen. Ich erfüllte unser Verlangen, mit dem ganzen Körper schmiegte ich mich an ihn und genoß meine Lust, zum Letzten freilich kam es nicht. Sobald es Tag war, brachte ich dem Hocherfreuten, was ich versprochen hatte. In der dritten Nacht bot sich wieder eine günstige Gelegenheit. Ich stand auf und flüsterte ihm, der sich schlafend stellte, ins Ohr:

›Ihr unsterblichen Götter, wenn ich bei diesem Schlafenden die volle, ersehnte Lust genießen darf, dann will ich ihm morgen für dieses Glück einen prächtigen mazedonischen Zelter schenken, allerdings nur unter der Bedingung, daß er nichts merkt.‹

Niemals hatte jemand einen festeren Schlaf. Zuerst betastete, ich seine weiße, zarte Brust, dann küßte ich ihn auf den Mund, schließlich ging all mein Verlangen glücklich in Erfüllung.

In der Frühe blieb der Junge auf seinem Bett sitzen und wartete, daß ich wie gewöhnlich zu meinem Wort stehe. Bekanntlich sind Tauben und Hähne leichter zu beschaffen als ein Pferd, außerdem fürchtete ich, ein so großes Geschenk könnte Verdacht erregen. So ging ich denn einige Stunden spazieren. Als ich zurückkam, hatte ich nichts in Händen, ich gab ihm nur einen Kuß. Er sah sich nach allen Seiten um, umfaßte mich und fragte:

›Nun, Herr, wo bleibt denn das Pferd?‹

Mit dieser Beleidigung hatte ich alles bisher Erreichte zunichte gemacht, ich wünschte jedoch nichts sehnlicher, als das frühere Verhältnis wiederherzustellen. Nach einigen Tagen kam mir der Zufall erneut zu Hilfe. Als ich mich überzeugt hatte, daß der Vater fest schlief, bat ich den Jungen, sich mit mir doch wieder zu versöhnen, er möge weiterhin erlauben, daß ihm Genüge geschehe, ich würde ihm auch gewähren, was die erhitzten Sinne fordern. Aber er zürnte mir offenbar noch immer und antwortete nur:

›Gleich wecke ich den Vater‹, drohte er.

Dennoch warf ich mich auf ihn, trotz seines Widerstrebens genoß ich höchste Lust. Der Junge ärgerte sich nicht über meine Dreistigkeit, er beklagte sich nur, daß ich ihn getäuscht hatte. Von seinen Mitschülern, vor denen er mit meinem Geschenk geprahlt hatte, sei er ausgelacht und verspottet worden.

›Aber ich bin nicht so wie du. Wenn du willst, mache es noch mal.‹

So war denn alles vergessen und ich wieder in Gnaden aufgenommen. Von neuerlicher Anstrengung ermattet, fiel ich in tiefen Schlaf. Aber der Junge war mit der einmaligen Wiederholung nicht zufrieden, er stand in der ersten Reife, war in den Jahren leidenschaftlicher Hingabe. Er weckte mich aus dem Schlaf und fragte:

›Willst du nicht?‹

Noch war mir seine Gefälligkeit nicht ganz lästig. Unter Ächzen und Stöhnen tat ich, was er gewünscht hatte, und schlief von Wollust erschöpft wieder ein. Noch keine Stunde war vergangen, als er mich erneut aus dem Schlaf rüttelte und fragte:

›Warum nicht noch mal?‹

Wütend über die fortgesetzten Störungen, antwortete ich ihm nun meinerseits:

›Schlafe, oder ich sage alles dem Vater!‹«

Die Gespräche des Göttlichen Pietro Aretino

Wie Nanna in Rom unter einem Feigenbaum der Antonia von dem Leben der Nonnen erzählte

[...]

Nanna: Also fein geschmückt, sauber und wie aus dem Ei gepellt, betrat ich die Kirche. Da waren Tausende und aber Tausende von Menschen, die drehten sich alle nach mir um, sobald ich erschien, und die einen sagten. »Ach, da bekommt aber der liebe Herrgott 'ne schöne Braut!« Und andere: »Schade, daß so'n hübsches Mädchen Nonne wird!« Und einige machten das Kreuz über mir, andere sahen mich an, wie wenn sie mich mit den Augen verschlingen wollten, und noch wieder andere sagten: »Die gibt mal 'n leckeren Happen für irgend 'nen Mönch!«

Aber ich dachte mir nichts Böses bei solchen Worten, ich hörte nur immer ganz fürchterliche Seufzer, und an der Stimme erkannte ich, daß sie aus dem Herzen einer meiner Liebhaber kamen, der während des ganzen Gottesdienstes in einem fort heulte.

Antonia: Was? Du hattest schon Liebhaber, ehe du Nonne wurdest?

Nanna: Welches Mädel hätte die nicht gehabt! Aber das war in allen Züchten und Ehren. Ich mußte nun auf der Frauenseite ganz obenan Platz nehmen, und nach einer kleinen Weile begann die Messe, und ich kniete zwischen meiner Mutter und Tante Ciampolina, und der Kantor spielte auf der Orgel einen Lobgesang. Nach der Messe wurden meine Nonnenkleider eingesegnet; die lagen auf dem Altar, und der Priester, der die Epistel gelesen, und der andere Priester, der das Evangelium gelesen hatte, die führten mich hinauf, und nun mußte ich auf den Stufen des Hochaltars niederknien. Dann reichte der, der die Messe gelesen hatte, mir das Weihwasser und sang mit den anderen Priestern das Te deum laudamus und vielleicht noch hundert Psalmen, und dann zogen sie mir die weltlichen Kleider aus und legten mir das geistliche Gewand an, und die Leute drängten sich heran und machten einen Lärm wie ... wie man ihn in Sankt Peter und in Sankt Johannes hört, wenn da eine aus Verrücktheit oder aus Verzweiflung oder aus Ulk sich einmauern läßt – wie ich's auch mal durchgemacht habe.

Antonia: Ja, ja, ich sehe dich noch vor mir mit der Menschenmenge um dich herum.

Nanna: Als dann die Feierlichkeit vorbei war und sie mir den Weihrauch gereicht hatten und das Benedicamus und das Oremus und das Halleluja gesungen hatten, da öffnete sich eine Tür, die kreischte, wie wenn man den Deckel der Armenbüchse aufmacht. Ich mußte aufstehen und wurde nach draußen geführt, wo etwa zwanzig Schwestern mit der Äbtissin mich erwarteten. Sobald ich sie erblickte, machte ich ihr 'ne schöne Reverenz, und sie küßte mich auf die Stirn und sagte meinem Vater und meiner Mutter und den Verwandten ein paar Worte, die ich nicht behalten habe, und die vergossen alle Ströme von Tränen, und auf einmal wurde die Tür zugeworfen, und ich hörte ein Stöhnen, das allen Anwesenden durch Mark und Bein ging.

Antonia: Woher kam denn dies Stöhnen?

Nanna: Von meinem armen Liebsten, der den andern Tag Barfüßermönch oder Betteleremit wurde – ich weiß nicht mehr, was.

Antonia: Der arme Kerl!

Nanna: Als nun die Tür plötzlich zugeschmissen wurde, daß ich nicht mal meinen Angehörigen Lebewohl sagen konnte, da dachte ich, ich wäre bei lebendigem Leibe ins Grab gelegt und die Frauen um mich her wären halbtot von Geißelhieben und vom Fasten; und ich weinte nicht mehr um meine Eltern, sondern um mich selber. Und ich ging mit niedergeschlagenen Augen, und mein Herz dachte an das, was mir bevorstände. So kamen wir in den Speisesaal, wo eine Schar von Nonnen auf mich zulief, um mich zu umarmen. Sie nannten mich sofort ›Schwester‹ und sagten mir, ich sollte doch mal aufschauen. Das tat ich und siehe! Da waren eine Menge frische und helle Gesichter mit roten Wangen. Da wurde mein Herz fröhlich, und ich blickte mit größerer Zuversicht um mich und sagte zu mir selber: »Wirklich, der Teufel ist nicht so häßlich, wie man ihn malt!« Und auf einmal, da kam eine ganze Schar von Mönchen und Priestern und unter ihnen auch einige Weltgeistliche, lauter junge Leute, die schönsten und saubersten und fröhlichsten jungen Leute, die ich je gesehen, und jeder nahm seine Freundin bei der Hand, und sie sahen aus wie Engel, die auf einem Ball im Himmel zum Tanze antreten.

Antonia: Du, über den Himmel mach keine Witze!

Nanna: Sie sahen aus wie Verliebte, die mit ihren Nymphen scherzen.

Antonia: Der Vergleich ist schon eher zulässig. Nun, und weiter?

Nanna: Sie nahmen sie also bei der Hand und gaben ihnen die zärtlichsten Küsse, und einer wetteiferte mit dem andern, wer die süßesten gäbe.

Antonia: Und welche Küsse hatten, deiner Meinung nach, den größten Zuckergehalt?

Nanna: Natürlich die von den Mönchen!

Antonia: Warum?

Nanna: Den Grund ersiehst du aus der Legende von der ›Buhlerin von Venedig‹.

Antonia: Und dann?

Nanna: Dann setzten sich alle zu Tisch. Und es war die köstlichste Tafel, die ich je in meinem Leben gesehen hatte. Auf dem Ehrenplatz saß die fromme Mutter Äbtissin und zu ihrer Linken der Herr Abt; an der anderen Seite der Äbtissin saß die Schatzmeisterin und neben dieser der Bakkalaureus, ihr gegenüber die Sakristanin mit dem Novizenmeister, und dann kamen in bunter Reihe immer eine Nonne, ein Mönch und ein Weltgeistlicher, und untenan saßen, ich weiß nicht wie viele Pfäfflein und

Mönchlein; ich selber aber saß zwischen dem Prediger und dem Beichtiger des Klosters. Und dann kam das Essen, und ein Essen war's, wie's der Papst selber nicht besser hat, so versicherte man mir. Da hörte sofort das Schwatzen auf, und es war, als ob die Inschrift ›Stille!‹, die man in den Refektorien der Klosterväter liest, sich auf Lippen und Zungen herabgesenkt hätte, und nur die Lippen machten beim Essen ein leise murmelndes Geräusch, wie wenn die Seidenwürmer, nachdem sie ausgewachsen sind, ihr lang entbehrtes Futter bekommen und an den Blättern knuspern. Ich meine die Blätter jenes Baumes, in dessen Schatten der arme Pyramus und die arme Thisbe Kurzweil zu treiben pflegten – möge Gott sie dort oben beschirmen, wie er sie hier unten in seine Hut nahm!

Antonia: Du meinst die Blätter vom weißen Maulbeerbaum.

Nanna: Hahaha!

Antonia: Warum lachst du so?

Nanna: Ich lache, weil ich eben an einen Schlingel von Mönch denke – Gott verzeih mir den Ausdruck –, der kaute mit allen zweiunddreißig Zähnen und hatte ein Paar Backen wie ein Posaunenengel, und auf einmal setzte er eine Flasche an den Mund und schlürfte sie in einem Zuge leer.

Antonia: Möchte er dran erstickt sein!

Nanna: Als sie nun den ersten Hunger gestillt hatten, da fingen sie an zu plappern, und es kam mir vor, als wäre ich nicht bei einem Klosterfrühstück, sondern mitten auf dem Navonaplatz, wo man rechts und links und hinten und vorne nichts als Juden mit den Leuten feilschen und schachern hört. Und als sie dann satt waren, da nahmen sie Hühnerflügel und Hahnenkämme und dergleichen, und damit fütterten sie sich gegenseitig, wie Schwalb ihre Schwälblein atzen. Und was für ein Gelächter gab es da, wenn so ein Kapaunensterz präsentiert wurde, und was für Bemerkungen wurden bei solchen Gelegenheiten gemacht!

Antonia: So 'ne Bande!

Nanna: Mir wurde ganz übel, als ich sah, wie eine Nonne ein schönen Bissen zerkaute und darauf mit ihrem eigenen Mund ihrem Freunde hinhielt.

Antonia: Brrr!

Nanna: Allmählich verwandelte sich die Lust am guten Essen in jenen Überdruß, der allzu reichlicher Sättigung entspringt; da fingen sie an, sich anzuprosten wie die Deutschen; und der Ordensgeneral stand auf und ergriff einen großen Pokal voll Korserwein, forderte die Äbtissin auf, ihm Bescheid zu tun, und schluckte das Ganze hinunter wie 'nen falschen Eid. Alle Augen glänzten bereits wie Spiegelglas vom vielen Trinken, bald aber liefen sie an wie Diamanten, die man anhaucht; sie wurden müd und viele schwere Köpfe sanken auf das Tischtuch, wie wenn es ein Kopfkissen gewesen wäre. Auf einmal aber wurden alle munter, denn ein schöner Knabe betrat den Speisesaal; der trug in der Hand einen Korb, worauf das weißeste und feinste Tuch lag, das ich je gesehen habe. Schnee, Reif, Milch sind nichts gegen diese Weiße. Es war so weiß wie der Mond am fünfzehnten Tage. Ja, das war es!

Antonia: Was machte er denn mit dem Korb, und was war darinnen?

Nanna: Pst, pst! Nur sachte! Der Knabe machte eine schöne Verbeugung auf spanisch-neapolitanische Art und sagte: »Gesegnete Mahlzeit, meine Herrschaften!« Dann fuhr er fort: »Ein ergebener Diener dieser schönen Gesellschaft sendet euch einige Früchte aus dem irdischen Paradies.« Dann nahm er das Tuch ab und setzte das Geschenk auf den Tisch. Und ein rasendes Gelächter brach los wie rollender Donner; so unwiderstehlich wurde die Gesellschaft zum Lachen hingerissen, wie eine Familie sich den Tränen und Wehklagen überlassen muß, wenn sie den Hausvater seine Augen zum ewigen Schlummer hat schließen sehen.

Antonia: Du machst recht hübsche und naturgetreue Vergleiche!

Nanna: Die Hände von diesem und von jener hatten sich in den letzten Augenblicken gerade mit Schenkeln, Busen, Wangen, Flöten und Pfeifen der Nachbarin oder des Nachbarn beschäftigt, und sie waren so geschickt wie die Taschendiebe, die den Maulaffen ihre Börsen wegzupicken wissen; kaum aber wurden die paradiesischen Früchte sichtbar, so fuhren die Hände in den Korb hinein und sie waren so hurtig wie die Leute, die sich am Lichtmeßabend auf die Kerzen stürzen, die vom Balkon herabgeworfen werden.

Antonia: Was waren's denn für Früchte? Sag's mir doch!

Nanna: Es waren gläserne Früchte, wie man sie in Murano bei Venedig verfertigt, von der Gestalt eines Kappa;

nur waren an jedem Stengel zwei Schellen von einer Größe, daß eine Janitscharenmusik sich ihrer nicht hätte zu schämen brauchen.

Antonia: Hahaha! Ausgezeichnet! Ich verstehe vollkommen, was für Stengel du meinst!

Nanna: Und selig war die, die den größten und dicksten für sich erwischte; und keine von den Nonnen genierte sich, den ihrigen zu küssen, und sie sagten, diese Früchte hülfen ihnen, den Anfechtungen des Fleisches zu widerstehen …

Antonia: … die der Teufel holen möge!

Nanna: Ich spielte die Unschuld vom Lande und äugelte nur verstohlen nach den Früchten, wie eine schlaue Katze, die mit den Augen nach der Köchin sieht und die Pfote nach dem Stück Fleisch ausstreckt, das aus Versehen nicht eingeschlossen worden ist. Und wenn nicht meine Tischnachbarin, die sich zwei Früchte genommen hatte, mir eine davon abgegeben hätte, so hätte ich mir selber eine geholt, um nicht wie eine Zimperliese dazusitzen. Doch um es kurz zu machen: Inmitten des Gelächters und des Stimmengewirrs stand mit einem Mal die Äbtissin auf, und alle Anwesenden folgten ihrem Beispiel; und das Benedicite, das sie sprach, klang nicht wie Latein, sondern wie gutes Italienisch.

Antonia: Lassen wir nur das Benedicite! Was machtet ihr nach dem Essen?

Nanna: Warte doch nur; das kommt ja gleich! Nach Tisch ginge wir in ein Zimmer, dessen Wände über und über mit Malereien bedeckt waren.

Antonia: Was waren denn das für welche? Wohl die Bußwerke der Fastenzeit? Oder was sonst?

Nanna: Schöne Bußwerke! Die Malereien waren der Art, daß selbst ein Kastrat sich bei ihrem Anblick amüsiert hätte. Das Zimmer hatte vier Wände. Auf der ersten Wand sah man das Leben der heiligen Nafissa abgebildet. Da erblickte man das gute Mädchen, wie es mit zwölf Jahren, ganz von christlicher Liebe erfüllt, all sein Hab und Gut an Sbirren, Zöllner, Priester, Kuppler und andere derartige würdige Leute verschenkte. Und als sie gar nichts mehr hatte, da setzte sie sich demütig und fromm, mit Verlaub zu sagen, mitten auf die Sixtusbrücke. Und sie hatte nichts und an sich, als 'n Stühlchen und 'n Fußmättchen und 'n Hündchen und ein Blatt Papier, das war an einem eingekerbten Stöckchen befestigt; damit fächerte sie sich und jagte die Fliegen weg.

Antonia: Warum saß sie denn da auf 'm Stühlchen?

Nanna: Sie stellte eben eins von den Guten Werken dar: die Kleidung der Nackenden. Und so saß denn das junge Ding da, wie ich's dir beschrieben habe, und das Gesicht hielt sie dem Himmel zugewandt, und den Mund hatte sie offen, wie wenn sie gerade das Liedchen sänge:

Wo bleibst du, mein Geliebter?
Was kommst du nicht zu mir?

Auf einem anderen Bilde sah man sie stehen und sich zu einem neigen, der aus übergroßer Bescheidenheit nicht gewagt hatte, um etwas von ihren Sachen zu bitten. Auf den ging sie ganz heiter in ihrer Nächstenliebe zu und führte ihn in die Höhle, wo sie die Betrübten tröstete. Da zog sie ihm zuerst den Rock aus und nestelte ihm dann die Hosen auf, und als sie das Hähnchen gefunden hatte, da streichelte sie's so zärtlich, bis es sich ganz stolz aufrichtete und wie ein Hengst, der sich von der Halfter losreißt, um zu der Stute zu gelangen, ihr plötzlich zwischen die Beine fuhr. Aber sie mochte sich wohl nicht für würdig halten, ihm ins Gesicht zu sehen, oder vielleicht, wie der Prediger sagte, der uns ihr Leben erläuterte, wurde ihr auch plötzlich bange, als ihn so rot, so glühend und so aufgeregt sah, und mit einer prachtvollen Bewegung drehte sie ihm den Rücken zu.

Antonia: Möge es ihrer Seele gelohnt werden!

Nanna: Ist es ihr denn nicht schon gelohnt? Sie ist doch 'ne Heilige geworden!

Antonia: Da hast du recht.

Nanna: Wer könnte dir alles erzählen? Da war auch das Volk Israel abgebildet, das sie ganz umsonst beherbergte und immer Amore dei befriedigte. Da sah man manchen gemalt, der gekostet hatte, was da war, und dann mit einer Handvoll Geld von ihr ging, das ihr ein freigebiger anderer notgedrungen hatte schenken müssen. Wer ihr Äckerlein bestellte, dem ging es manchmal wie einem, der im Hause eines Verschwenders Herberge findet: Dieser nimmt ihn nicht nur gastlich auf, gibt ihm Nahrung und Kleidung, sondern schenkt ihm noch obendrein das Reisegeld, um an seinen Bestimmungsort gelangen zu können.

Antonia: O gebenedeite und makellose heilige Nafissa, erleuchte du meinen Geist, daß ich deinen allerheiligsten Fußtapfen folge!

Nanna: Kurz, alles, was sie sonst noch machte, vor oder hinter Tür und Tor, das ist dort in voller Natürlichkeit abgebildet, und alles, was sie bis an ihr Lebensende tat, ist da gemalt. Und an ihrem Grabgewölbe sieht man die Abbildungen von all denen, die sie in dieser Welt zurückgelassen, um sie einst in jener Welt wiederzufinden: und das war ein buntes Gewimmel von Schlüsseln wie von Kräutern in einem Maisalat.

Antonia: Donnerwetter! Die Bilder will ich mir doch auf jeden Fall mal ansehen!

Nanna: Auf der zweiten Wand ist die Geschichte von Masetto aus Lamporecchio, und, meiner Seel!, man denkt, die beiden Nonnen, die ihn in die Scheune geführt haben, sind von Fleisch und Blut; der Kerl aber liegt da und tut, als ob er schlafe, während sein Hemd an dem hoch aufgerichteten Mast sich wie ein Segel bläht.

Antonia: Hahaha!

Nanna: Ja, da mußte wirklich jedermann lachen, der's sah, und besonders auch über die beiden anderen Nonnen, die von den losen Scherzen ihrer Mitschwestern Wind gekriegt hatten und sich dies sofort zunutze machten, aber nicht etwa, indem sie's der Äbtissin petzten, sondern indem sie mit an dem Vergnügen teilnahmen, und geradezu verblüffend war Masetto gemalt, der ihnen durch Zeichen zu verstehen gab, daß er nichts von ihnen wissen wollte. Und zuletzt sah man die Oberin der Nonnen; die fing vernünftig an, indem sie den braven Mann einlud, mit ihr zu speisen und zu schlafen. Eines Nachts aber kriegte er Angst, die Sache möchte ihn zu sehr anstrengen, und sprach ein bißchen laut; da lief das ganze Dorf zusammen, um das Wunder zu sehen; das Kloster aber wurde als heilig kanonisiert.

Antonia: Hahaha!

Nanna: Auf der dritten Wand waren – wenn ich mich recht innere – die Porträts aller Schwestern, die überhaupt dem Orden angehört hatten, und neben jeder sah man das Bild ihres Liebsten und auch ihrer Kinder, und die Namen eines jeden und einer jeden waren daruntergeschrieben.

Antonia: 'ne schöne Ehrentafel!

Nanna: Auf der vierten Wand endlich waren alle die verschiedenen Arten, wie man stöpseln und sich stöpseln lassen kann, dargestellt. Die Nonnen sind nämlich verpflichtet, ehe sie mit ihren Freunden ans Werk gehen, erst alle Akte, die man da abgebildet sieht, in lebenden Bildern darzustellen. Und das müssen sie, damit sie sich im Bette nicht so tölpelig anstellen, wie gewisse Frauenzimmer, die alle viere von sich strecken und daliegen wie die Klötze. Solche Liebe hat natürlich weder Saft noch Kraft, und wer's mit so 'nem Mädel zu tun kriegt, der hat nicht mehr Vergnügen dran, als wenn er 'ne Bohnensuppe ohne Salz ißt.

Antonia: Da brauchen sie wohl gar 'ne Lehrerin, so 'ne Fechtmeisterin der Liebe?

Nanna: Nun freilich; und diese Lehrmeisterin zeigt den Ungeübten, wie sie's machen müssen, wenn der Mann den Stachel der Fleischeslust spürt und wenn er etwa auf einer Kiste oder 'ner Treppe oder auf einem Stuhl oder

Tisch oder auf dem Fußboden seine Reiterei zu veranstalten wünscht. Und die Lehrerin die den guten Nonnen die verschiedenen Stellungen beibringt, tut das mit einer Geduld, wie wenn sie einen Hund oder Papagei oder Starmatz oder 'ne Elster abrichtete. Und die Kunststückchen der Taschenspieler sind leichter zu lernen als die Behandlung des Hähnchens, so daß es steht, auch wenn es keine Lust hat.

Antonia: Wirklich?

Nanna: Verlaß dich drauf. Schließlich wurden wir dann des Bilderbeguckens und Plauderns und Scherzens überdrüssig. Und wie plötzlich die Straße leer wird, wenn die Barberi im Wettlauf heranrasen, oder, um ein besseres Bild zu gebrauchen, wie sich die Schüssel mit Kuhfleisch leert, wenn die Dienstboten, die sonst kein Fleisch bekommen, darüber herfallen, oder wie die Feige vor dem hungrigen Bauern verschwinden: so verschwanden Nonnen, Mönche, Pfarrer und Weltpriester, auch die jungen Pfäfflein drückten sich, und der junge, der die Glasdinger gebracht hatte, ging ebenfalls seines Weges. Nur der Bakkalaureus blieb bei mir; ich war nämlich ganz alleine, beinahe zitternd, dageblieben und konnte kein Wort hervorbringen. Und er sagte zu mir »Schwester Christiana« – diesen Namen hatten sie mir gegeben als ich das geistliche Gewand anlegte –, »Schwester Christiana meines Amtes ist es, Euch in die Zelle zu geleiten, wo die Seel über den Körper triumphiert und zur Seligkeit gelangt.« Ich wollte einige Umstände machen, aber all mein Sträuben half mir nichts; er ergriff meine Hand, in der ich die gläserne Wurst hielt, so daß diese beinahe zu Boden gefallen wäre. Da stieß ich unwillkürlich einen Seufzer aus, und der fromme Padre faßte sich ein Herz und gab mir 'nen Kuß, und da ich von meiner Mutter her ein mitleidiges Herz habe und nicht von Stein bin, so hielt ich ganz mäuschenstill und sah ihn durch halbgeschlossene Augenlider an.

Antonia: Das war sehr richtig von dir.

Nanna: Und so ließ ich mich von ihm führen wie der Blinde vom Hündchen. Na, schön und gut! Er führte mich also in ein Kämmerchen, das gerade in der Mitte aller Zellen gelegen war. Diese Zellen aber waren nur durch dünne Ziegelwände getrennt, und die Fugen waren so schlecht verstrichen, daß überall große Ritzen waren; und man brauchte nur das Auge an eine dieser Spalten zu legen, um sofort zu sehen, was in allen Nebenkammern vorging. Kaum waren wir in der Zelle angekommen, und kaum hatte der Bakkalaur den Mund aufgetan, um mir zu sagen, meine Schönheiten – ich glaube, so drückte er sich aus – stächen die Reiz der Feen aus, und dann hieß es ›meine Seele‹, ›mein Herz‹, ›mein teures Blut‹, ›mein süßes Leben‹ – und so die ganze Litanei zu Ende, und gerade hatte er mich aufs Bett gelegt, wogegen ich in nicht im geringsten sträubte, da auf einmal ging es: Tick! Tack! Tack! Der Bakkalaur und alle andern im Kloster, die's hörten; kriegten einen fürchterlichen Schreck. Stell dir vor, es kommt einer plötzlich in 'ne Scheune hinein, wo eine Menge Mäuse sich in einem Nußhaufen gütlich tun – natürlich bekommen die Tierchen es mit der Angst, daß sie kaum noch wissen, wo ihre Löcher sind –, so liefen auch die Klosterleutchen herum, um in ein Versteck zu schlüpfen, und dabei stiegen und pufften und drängten sie sich und waren vor Angst vor dem Safrugan ganz außer Rand und Band; es war nämlich der Safrugan des Bischofs, dem das Kloster unterstand, der machte uns mit dem Tick! tack! tack! solche Angst, wie wenn wir Frösche gewesen wären, die wohlgemut am Grabenrand im Grase sitzen; du hast gewiß schon gesehen, wie sie, wenn jemand ruft oder ein Stein ins Wasser plumpst, plötzlich alle miteinander auf einmal kopfüber in den Graben hopsen. Und wie er nun durch den Schlafsaal ging, fehlte nicht viel, so wäre er in die Zelle der Äbtissin eingetreten, die gerade mit dem Ordensgeneral darüber verhandelte, ob nicht ihre Nonnen anstatt der Vesper eine Morgenandacht halten könnten. Und die Schwester Kellermeisterin erzählte uns, er hätte bereits seine Hand erhoben, um ihr 'nen Puff zu geben oder wer weiß was sonst noch; zum Glück aber besann er sich noch und ging nicht weiter, weil nämlich ein Nönnlein vor ihm auf die Knie fiel, das sich auf den figurierten Gesang verstand wie die Drusiana des Buovo d'Antona.

Antonia: Oh, das hätte ein Hallo gegeben, wenn er hineingegangen wäre, hahaha!

Nanna: Aber wir kamen nur gerade eben noch mit einem blauen Auge davon, das kannst du mir glauben, denn kaum hatte der Suffragan sich hingesetzt …

Antonia: Jetzt hast du das Wort richtig ausgesprochen.

Nanna: … da kommt auf einmal ein Kanonikus, ein

Primuzer und bringt ihm die Nachricht, der Bischof sei ganz in der Nähe. Sofort steht er auf und begibt sich eiligst nach dem Bischofspalast, um sich zurechtzumachen, denn er mußte dem Bischof entgegengehen. Vorher aber hatte er noch befohlen, das Kloster solle zum Zeichen der Freude mit den Glocken bimmeln. Kaum war er zur Tür hinaus, so kehrte ein jedes wieder zu seiner Bequemlichkeit zurück. Nur der Bakkalaur mußte fortgehen, um im Namen der Äbtissin Seiner Ehrwürdigsten Gnaden die Hand zu küssen. Die anderen aber begaben sich wieder zu ihren Herzallerliebsten, wie Stare sich wieder auf den Ölbaum niederlassen, von dem sie mit seinem Hohoho! der Bauer vertrieben hat, der Knicker, dem es das Herz abfrißt, wenn ein Star ihm eine Olive frißt.

Antonia: Wenn du doch zur Sache kämst! Ich habe einen Ungeduld in mir, wie 's Kindchen, das darauf wartet, daß die Amme ihm die Brust ins Mündchen schiebe. Mir läuft das Wasser im Munde zusammen wie am Osterabend beim Eierschälen, wenn man das lange Fasten hinter sich hat.

Nanna: Es kommt ja schon! Ich war also allein geblieben; in den Bakkalaur hatte ich mich schon verliebt, denn es schien mir nicht recht, es anders zu machen, als es im Kloster Brauch war. Da dachte ich denn dran, was ich in den fünf oder sechs Stunden seit meinem Eintritt ins Kloster gesehen und gehört hatte; und in der Hand hielt ich die Glasstange. Ich äugelte mit ihr wie jemand, der zum erstenmal die greuliche Eidechse erblickt, die in der Chiesa del Popolo aufgehängt ist, und ich war über das

Ding verblüffter als über die ungeheuerlichen Gräten jenes Riesenfisches, der bei Corneto auf den Sand geworfen war. Ich konnte mir nicht erklären, warum die Schwestern so große Stücke darauf hielten. Während ich mich nun mit solchen Gedanken beschäftigte, hörte ich auf einmal ein schallendes Gelächter, das einen Toten hätte aufwecken können. Das Lachen wurde immer lauter, und ich beschloß daher nachzusehen, woher es wohl käme. Ich stand also auf und legte erst ein Ohr an eine Ritze; dann, da man im Dunkeln mit einem Auge besser sieht als mit zweien, machte ich das linke zu und guckte mit dem rechten durch ein Loch zwischen zwei Ziegeln, und da sah ich – hahaha!

Antonia: Was denn? Was sahst du denn? Bitte, sag's mir doch!

Nanna: Ich sah in der Nebenzelle vier Nonnen, den Ordensgeneral und drei Mönchlein wie Milch und Blut, die zogen dem würdigen Vater den Priesterrock aus und bekleideten ihn dafür mit einem Atlaswams. Auf die Tonsur setzten sie ihm eine goldgewirkte Haube und darüber ein Samtbarett, das über und über mit Glasperlen besetzt und mit einem weißen Federbusch geschmückt war. Dann gürteten sie ihm ein Schwert um, und der selige General lallte trunkene Worte und ging breitbeinig wie Held Bartolomeo Coglioni in der Kammer auf und ab. Unterdessen hatten die Nonnen ihre Röcke und die Mönche ihre Kutten ausgezogen, und drei von den Nonnen zogen die Mönchskutten, die Mönche aber zogen die Nonnenkleider an. Die vierte aber legte den Talar des Generals an und setzte sich mit feierlicher Würde hin und spielte den Kirchenfürsten, der den Klöstern Gesetze gibt.

Antonia: Eine schöne Orgie!

Nanna: Wart nur – jetzt fängt es ja erst an, schön zu werden.

Antonia: Wieso denn?

Nanna: Nun, der ehrwürdige Vater rief die drei Mönchlein heran und lehnte sich auf die Schulter des einen, der ein schlank aufgeschossener, zartgebauter Jüngling war. Von den beiden anderen ließ er sich das Hähnchen aus dem Nest holen – das ließ aber traurig das Köpfchen hängen. Doch der gewandteste und hübscheste von den beiden Brüderchen legte es auf seine flache Hand und streichelte es mit der anderen Hand, wie man einer Katze den Schwanz streichelt, bis sie vom Schnurren ins Fauchen gerät und sich schließlich nicht mehr halten läßt. Da richtete denn auch das Hähnchen sich stolz empor. Der wackere General aber kriegte die hübscheste und jüngste von den Nonnen zu packen, schlug ihr die Röcke über den Kopf zurück und ließ sie sich mit der Stirn auf die Bettstelle aufstützen. Dann hielt er mit seinen Händen sanft ihre Hinterbacken auseinander – es sah aus, wie wenn er die weißen Blätter seines Meßbuches aufschlüge – und betrachtete ganz hingerissen ihren Popo. Der war aber auch weder ein spitzes Knochengerüst noch ein schwabbeliger Fettklumpen, sondern gerade die richtige Mitte: ein bißchen zitterig und schön rund und schimmernd wie beseeltes Elfenbein; die Grübchen, die man mit solchem Vergnügen an Kinn und Wangen schöner

Frauen sieht, sie zierten auch diese beiden Backen, die so zart waren wie eine Mühlenmaus, die in lauter Mehl geboren und aufgewachsen ist. Und so glatt waren alle Glieder des Nönnchens, daß die Hand, die man ihr auf die Lende legte, sofort bis an die Waden herunter fuhr, wie der Fuß auf dem Eise ausrutscht, und Haare sah man auf ihren Beinen sowenig wie auf einem Ei.

Antonia: Da verbrachte wohl der Vater General den ganzen Tag mit seiner andächtigen Bewunderung, he?

Nanna: I, Gott bewahre! Er tunkte seinen Pinsel in den Farbtopf – nachdem er ihn vorher mit Spucke gesalbt hatte – und ließ sie sich drehen und winden, wie die Weiber in den Geburtswehen sich winden oder wenn sie das Mutterweh haben. Und damit der Nagel recht fest stäke, gab er seinem Spinatfreund, der hinter ihm stand, einen Wink; der löste ihm die Hosen, daß sie ihm auf die Hacken fielen, und setzte Seiner Ehrwürden visi bilium das Klistier an. Der General aber verschlang mit seinen Augen die beiden anderen Knaben, die sich die beiden Nonnen recht bequem übers Bett gelegt hatten und ihnen die Sauce im Mörser verrieben. Das war ein großer Kummer für die vierte Schwester, die ein bißchen triefäugig und etwas schwärzlich von Haut war, weshalb keiner etwas von ihr hatte wissen wollen. Sie wußte sich aber zu helfen. Sie füllte den gläsernen Tröster mit Wasser – man hatte dem hohen Herrn etwas zum Händewaschen warm gemacht –, setzte sich auf ein Kissen, das sie auf die Erde legte, und stemmte die Fußsohlen gegen die Wand. Dann setzte sie die Riesenschalmei an und stieß sie sich in den

Leib – es war, wie wenn ein Degen in die Scheide fährt! Ich war von all der Wonne des Zuschauens ganz aufgelöst und streichelte mein Mäuschen mit der Hand, wie im Januar die Katzen auf den Dächern den Steiß aneinander reiben.

Antonia: Hahaha! Und wie endete der Spaß?

Nanna: Nachdem er nun ‘ne halbe Stunde lang raus- und reingerutscht war, sagte der Prälat: »Wir wollen's jetzt alle zusammen machen. Komm her, mein Junge, und küsse mich, und auch du, meine Taube!« Die eine Hand hielt er nun an die Dose der Engelsnonne, mit der anderen liebkoste er die Hinterbacken des hübschen Jungen, und dabei küßte er bald ihn, bald sie und machte dazu ein so schmerzverzogenes Gesicht wie auf Belvedere die Marmorfigur von dem Mann, der inmitten seiner beiden Söhne von den Schlangen getötet wird. Schließlich fingen sie alle zusammen an zu schreien: die Nonnen und die Mönchlein auf dem Bett und der General nebst Unterlage und Rückendeckung und auch die Überzählige mit der venezianischen Glasrübe. Taktmäßig wie Kurrendesänger oder wie Schmiede, die auf das Eisen hämmern, schrien sie los: »Ach! Ach!« Und: »Küsse mich! Und: »Dreh dich besser zu mir her!« »Die süße Zunge!« »Gib sie mir doch!« »Da hast du sie!« »Stoß feste!« »Wart, es kommt schon!« »Oh, da ist's!« »Drücke mich!« »Hilf mir doch!« – und das alles bald halblaut, bald in den höchsten Tönen und in allen Klängen der Tonleiter. Und das war ein Augenverdrehen, ein Stöhnen, ein Schieben und ein Strampeln, daß Bänke und Schränke und Bett und Tisch und

Stühle hin und her schwankten wie Häuser bei einem Erdbeben.

Antonia: Fein!

Nanna: Und auf einmal, da gab's gleichzeitig acht Seufzer tief aus Leber, Lunge, Herz und Seele des Ehrwürdigsten Undsoweiter, der Nonnen und der Mönche. Und diese Seufzer machten einen so starken Wind, daß sie acht Fackeln würden ausgeblasen haben. Und mit diesem Seufzer sanken sie alle erschöpft zu Boden wie Betrunkene, die der Wein niederwirft. Ich war von all dem Zugucken ganz kreuzlahm; vorsichtig zog ich mich von der Spalte zurück, setzte mich aufs Bett und sah mein Glasding an.

Antonia: Halt mal 'n bißchen! Das mit den acht Seufzern ist doch kaum glaublich!

Nanna: Du klaubst zu sehr am Wort herum; höre doch weiter!

Antonia: Na, dann bitte.

Nanna: Als ich nun das Glasding ansah, fühlte ich mich ganz aufgeregt – und das war wohl auch kein Wunder, denn beim Anblick solcher Sachen, wie ich sie gesehen, hätte sich wohl selbst bei den Eremiten von Camaldoli was geregt. Und von dem Betrachten des Glasdings fiel ich in tentatione, et libera nos a malo. Ich konnte dem Stachel des Fleisches, der mich aufs Blut peinigte, nicht länger widerstehen. Leider hatte ich kein warmes Wasser wie die Nonne, der ich die richtige Anwendung des kristallenen Stengels abgesehen hatte; aber Not macht erfinderisch: Ich pinkelte ganz einfach in das Ding hinein.

Antonia: Wie machtest du denn das?

Nanna: Es war ein Löchelchen drin, um das warme Wasser eingießen zu können. Na, um die Sache nicht allzulang zu machen: Fix hob ich mir die Röcke hoch, stemmte das dicke Ende der Stange gegen den Bettrand und setzte mir die Spitze an; dann ließ ich sachte, sachte den Stachel eindringen. Es juckte mächtig, denn das Ding hatte einen dicken Kopf; ich fühlte daher zugleich Schmerz und süße Wonne. Aber die Wonne überwog, und nach und nach belebte sich der gläserne Stachel. Und ganz von Schweiß überströmt, faßte ich mir einen Löwenmut und stieß ihn mir so tief hinein, daß er aufs Haar gänzlich in meinen Tiefen verschwunden wäre. Und wie er so hineindrang, da glaubte ich Todes zu sterben, aber dieser Tod war süßer als das ewige Leben. Nachdem ich nun 'ne gute Weile den Schnabel dringelassen hatte, fühlte ich mich ganz überströmt; da riß ich ihn raus, und beim Rausreißen fühlte ich ein Brennen wie 'n Krätziger, wenn er die Nägel von den Schenkeln wegnimmt. Ich seh mir das Ding an, und ach herrje! Da war's ganz voll Blut. Da fing ich an zu schreien: »Oh, erbarme dich mein!«

Antonia: Warum denn, Nanna?

Nanna: Warum? Na, ich dachte, ich hätte mich auf den Tod verwundet. Ich greife mit der Hand an meine Mimi, und wie ich sie zurückziehe, ist sie ganz naß und rot wie 'n Handschuh von 'nem Bischof im Ornat. Da fang ich an zu schreien und fahr mir mit den Händen in die kurzen Haare, die am Vormittag der Priester, der mich einkleidete, mir gelassen hatte, und stimme den Klagegesang von Rhodos an.

Antonia: Von Rom, Nanna! Denn wir sind doch in Rom.

Nanna: Meinetwegen, von Rom, wenn du das lieber willst. Und ich hatte nicht bloß Angst, ich müßte sterben, als ich das Blut sah, sondern ich hatte auch noch Furcht vor der Äbtissin.

Antonia: Warum denn?

Nanna: Wenn sie was gemerkt hätte und hätte wissen wollen, woher das Blut kam, und wenn sie dann die Wahrheit herausgekriegt hätte, so konnte sie mich ja in Ketten und Bande wie 'nen rüdigen Nickel ins Gefängnis werfen lassen, und wenn sie mir auch keine andere Buße auferlegt hätte, als die Geschichte von dem Blut zu erzählen, wäre das nicht Grund genug gewesen zu weinen?

Antonia: Nein. Warum denn?

Nanna: Warum denn nicht?

Antonia: Du brauchtest ja nur die andere Nonne anzuzeigen, du hättest sie mit dem Glasding spielen sehen. Dann wärst du selber sofort los und ledig gesprochen.

Nanna: Ja, da hätte aber die Nonne sich ebenso voll Blut machen müssen wie ich. Soviel ist gewiß, Nanna fühlte sich sehr ungemütlich! Auf einmal hörte ich an meiner Tür klopfen; schnell trocknete ich mir recht schön die Augen ab, stand auf und antwortete: »Gratia plena«. Dann öffnete ich, und siehe da, man rief mich zum Abendessen. Aber ich hatte ja am Morgen nicht wie 'ne frischgeweihte Nonne, sondern wie 'n Soldatenmädel feste gepräpelt, außerdem war mir vor Angst wegen des Blutes der Appetit vergangen, und so sagte ich, ich wollte den Abend lieber nüchtern bleiben. Dann schob ich wieder den Riegel vor die Tür und setzte mich ganz nachdenklich hin, immer mit der Hand auf meiner Kleinen. Da merkte ich, Gott sei Dank, daß sie nicht tropfte; das machte mir wieder ein bißchen Mut, und, um mir Zeit zu vertreiben, ging ich wieder an die Wandritze, denn ich sah aus der Nebenzelle einen hellen Schein hindurchfallen. Die Mönche hatten nämlich inzwischen Licht angezündet. Ich sah also hindurch, und da waren sie alle nackt; und gewiß, wenn der General und die Nonnen und die Klosterbrüder alt gewesen wären, so würde ich sie mit Adam und Eva vergleichen oder mit anderen aus dem Seelchengewimmel der Vorhölle. Aber überlassen wir lieber solche Vergleiche den Sibyllen! Der Prälat ließ nun seinen Spinatfreund, ich meine jenen hübschen schlanken Milchbart, auf einen viereckigen Tisch steigen – es war der Eßtisch der vier Christinnen des Antichrist –, und das Bürschchen nahm statt 'ner Trompete einen Stock und setzte ihn an den Mund wie ein Trompeter sein Instrument und ließ eine Fanfare erschallen. Nach dem Taratantara aber rief er aus: »Der Großsultan von Babylon tut allen wackeren Kämpen kund und zu wissen, daß sie allsogleich mit eingelegter Lanze hier auf der Stechbahn zu scheinen haben. Und wer die meisten Lanzen bricht, der erhält als Preis einen ganz glatten Runden ohne Härchen, woran er die ganze Nacht seine Freude haben kann. Amen!«

Antonia: Ein schöner Heroldsruf! Den hatte ihm gewiß sein Herr und Meister gedichtet. Nu weiter, weiter, Hannchen!

Nanna: Da stellten sie sich nun in Reih und Glied zum Turnier auf. Der Hintere jener schieläugigen Schwarzen, die vorhin soviel Vergnügen von ihrem gläsernen Stengel gehabt, wurde als Stechziel bestimmt, und dann losten sie die Reihenfolge aus. Der Vorritt fiel dem Trompeter zu; er gab einem Kameraden den Stock, um für ihn zu blasen, während er selber ritt, dann spornte er sich mit den eigenen Fingern und bohrte seine Lanze bis ans Heft ins Zentrum der Freundin; und weil der Stoß so gut war wie drei, wurde er mit lautem Beifall belohnt.

Antonia: Hahaha!

Nanna: Nach ihm traf das Los den Prälaten, der legte die Lanze ein und ritt und traf den Freund in dieselbe Stelle, wo dieser die Nonne getroffen hatte. So standen sie fest wie Grenzsteine zwischen zwei Äckern. Das dritte Los traf dann ein Nönnlein, da sie keine Lanze von Kernholz hatte, nahm sie eine von Glas und jagte sie im ersten Anlauf dem General von hinten hinein, während sie, um auch selber nicht zu kurz zu kommen, die Schellen in ihrem Venustempel unterbrachte.

Antonia: Wohl bekomm's!

Nanna: Gleich darauf kam der zweite Mönch dran, weil er das nächste Los zog; der zielte gut und traf mit dem Pfeil sofort ins Schwarze, die zweite Nonne aber machte es wie ihre Kameradin und stieß die Lanze mit den beiden Kugeln in das Utriusque des Jünglings, der sich von dem Stoß krümmte wie ein Aal. Endlich kamen der letzte und die letzte dran, und da gab's viel zu lachen, denn sie begrub den gläsernen Zuckerstengel, den sie am Morgen beim Frühstück erwischt hatte, tief in den hinteren Schlund ihrer Schwester im Herrn; das Klosterbrüderchen aber, das ganz zuletzt übrigblieb, pflanzte ihr seinen Lanzenschaft zwischen die Hinterbacken. Und das Ganze sah aus wie ein Bratspieß voll verdammter Seelen, die Satanas zu Meister Luzifers Karneval sich fürs Höllenfeuer herrichten wollte.

Antonia: Hahaha! Das muß famos gewesen sein.

Nanna: Die Schieläugige war ein äußerst spaßhaftes Nönnchen und machte, während alle drückten und schoben, die reizendsten Witze von der Welt. Darüber mußte ich so fürchterlich lachen, daß man mich hörte, worauf ich es für geratener hielt, mich zurückzuziehen. Nach einiger Zeit hörte ich in der Nebenzelle jemanden schimpfen und ging wieder an meinen Beobachtungsposten, um zu sehen, wer es gewesen wäre. Aber da fand ich die Spalte mit einem Bettuch verhängt, und so konnte ich das Ende des Ringelstechens nicht mit ansehen und erfuhr auch nicht, wer den Preis davontrug.

Antonia: Du läßt mir ja das Beste weg!

Nanna: Ja freilich – aber nur, weil's mir selber weggelassen wurde. Es ärgerte mich ganz abscheulich, daß ich das Eichel- und Eierspiel nicht weiter mit ansehen konnte. Aber während ich mich noch selber ausschalt, daß ich mich mit meinem Gelächter um die erbauliche Predigt gebracht, hörte ich plötzlich etwas Neues.

Antonia: Was denn? Sag's doch schnell!

Nanna: Durch die Spalten in meiner Wand konnte ich drei Zellen überblicken.

Antonia: Da bestanden wohl die Mauern aus lauter Löchern. Ein Sieb ist ja gar nichts dagegen!

Nanna: Ich denke mir, sie haben sich mit dem Zustopfen der Löcher keine große Mühe gemacht, weil sie auf diese Weise gegenseitig ihr Vergnügen aneinander hatten. Genug – ich höre ein Stöhnen und Seufzen, ein Pusten und Schnaufen, wie wenn da zehn Personen wären, die im Traum der Alp drückte; ich spitze die Ohren und höre – es war an der Wand, die der anderen, hinter der das Lanzenbrechen stattfand, gegenüberlag – und höre in ganz gedämpftem Tone sprechen. Schnell hab ich das Auge an der Ritze, und da sehe ich dir, die Beine hoch in der Luft, zwei Nönnchen, fett und frisch, mit vier Schenkeln weiß und rund und hübsch quabbelig wie Schlickermilch. Jede hielt in der Hand ihre Glasrübe, und die eine hub an und sprach zur anderen: »Was für ein Blödsinn, sich einzubilden, für unseren Appetit genügten solche Schmutzdinger, die nicht küssen können, die keine Zunge haben und keine Finger, um unsere Klaviatur damit zu bearbeiten! Und selbst, wenn sie das alles hätten – ich bitte dich, da die Nachbildungen uns schon solche Wonnen bereiten, wieviel würden wir erst von den lebendigen haben! Ja, wir können wohl zu Recht von uns sagen ›Arme Dinger!‹, wenn wir unsere ganze Jugend hindurch auf diese gläsernen Notbehelfe angewiesen sind!« – »Weißt du was, Schwesterchen?« antwortete die andere »Ich will dir einen Rat geben: komm mit mir!« – »Und wohin gehst du?« fragte jene. »Ich? Sobald es Nacht ist, brenn ich durch und geh mit einem jungen Mann nach Neapel; sein bester Freund reist auch mit, und der wäre gerade dein Fall! Ja, heraus aus dieser Spelunke, aus diesem Grab, und genießen wir unsere Jugend wie es allen Frauen zukommt!« – Sie hätte gar nicht soviel Worte zu machen brauchen, denn die andere war von leichtem Kaliber und erklärte sich sofort bereit. Sowie sie sich darüber einig waren, warfen sie beide gleichzeitig ihre Glasstengel gegen die Wand; um aber den Lärm zu verdecken, den das machte, schrien sie aus Leibeskräften: Katz! Katz! Katz!, als ob die Katzen ihre Nachttöpfe und was sonst noch an Geschirr da war, zerbrochen hätten. Dann sprangen sie aus dem Bett, packten ihre besten Sachen zusammen und verließen die Kammer. Ich war nun wieder allein, da hörte ich plötzlich ein Klatschen, wie wenn einer mit den flachen Händen auf ein paar nackte Schenkel schlüge, und ein ›Ach!‹ und ›O weh, ich Arme!‹ und ein Geräusch, wie wenn jemand sich mit den Nägeln das Gesicht zerkratzte, sich die Haare raufte und die Kleider zerrisse. Und so wahr ich hoffte, selig zu werden, ich glaubte, unser Glokkenturm stände in Flammen! Schnell lege ich das Auge an eine Mauerritze, und da sehe ich, daß es unsere Ehrwürdige Mutter, die Frau Äbtissin, ist, die die Wehklagen des Apostels Jeremias anstimmt.

Antonia: Wie? Die Äbtissin?

Nanna: Die fromme Nonnenmutter, die Beschützerin unseres Klosters.

Antonia: Was fehlte ihr denn?

Nanna: Soweit ich das beurteilen kann, war sie von ihrem Beichtvater ermordet worden.

Antonia: Wieso denn?

Nanna: Mitten in der allerschönsten Arbeit hatte er den Stöpsel aus der Flasche gezogen und wollte ihn ins Moschustöpfchen stecken. Und da war nun die Ärmste ganz außer sich vor Erregung, ganz saft- und schweißüberströmt! Auf die Knie warf sie sich vor ihm und beschwor ihn bei den heiligen Wundenmalen, bei den Schmerzen, bei den Sieben Freuden, beim Paternoster von San Juliano, bei den Sieben Bußpsalmen, bei den Heiligen Drei Königen, beim Stern von Bethlehem und bei den Sancta sanctorum. Aber sie konnte diesen Nero, diesen Kain, diesen Judas nicht dahin bringen, seine Wurzel wieder in ihr Gärtchen zu pflanzen. Und mit einem Gesicht wie Marforio, ganz giftgeschwollen, zwang er sie mit Gebärden und Drohungen, sich umzudrehen und ihren Kopf auf einen kleinen Ofen zu stützen. Und schnaufend wie ein Otter, Schaum vor dem Munde wie ein Oger, pflanzte er ihr seinen Ast in ihre Freudengrotte.

Antonia: Der verflixte Kerl!

Nanna: Und mit einer wahren Henkerslust, für die er tausendmal den Galgen verdient hätte, schob er ihn rein und zog ihn raus und lachte dabei in kindlicher Freude über das Geräusch, das der Zapfen bei diesem Schieben machte. Er hörte sich nämlich an wie jenes Quitschquatsch, das die Pilger mit ihren Füßen machen, wenn sie auf einen so kotigen Weg geraten sind, daß manchmal sogar ihre Schuhe drin steckenbleiben.

Antonia: Er verdiente, dafür gevierteilt zu werden!

Nanna: Die untröstliche Äbtissin aber, mit dem Kopf

auf dem Ofen, glich der Seele eines Sodomiters im Höllenrachen. Endlich erlaubte ihr der Pater, von ihrem Flehen gerührt, den Kopf wieder zu erheben, und ohne herauszuziehen, trug der Kerl von einem Mönch auf seinem Pflock die Äbtissin zu einem Schemel hin. Auf diesen stützte sich die Märtyrerin und begann nun mit solchem Eifer sich hin und her zu werfen, daß im Vergleich mit ihr der begeistertste Orgelspieler in der Kirche unbeholfen und langsam erscheint. Wie wenn sie gar keine Knochen im Leibe gehabt hätte, drehte sie sich vollkommen um sich selbst. Als wollte sie des Beichtigers Lippen trinken und seine Zunge essen, streckte sie ihre eigene Zunge ganz weit hinaus, und ich kann dir versichern, sie war von der Zunge einer Kuh nicht zu unterscheiden. Schließlich klemmte sie seine Hand zwischen die Ränder ihres Koffers, und der Mönch mußte sich drehen und winden, wie wenn ihn eine Zunge festhielte.

Antonia: O wie köstlich, wie erfrischend! Wie hüpft mir das Herz vor Freuden!

Nanna: Endlich zog der heilige Mann die Schleusen auf, damit die Mühle wieder Wasser aufs Werk bekäme, und vollendete damit seine Arbeit. Dann trocknete er seinen Schlauch mit einem parfümierten Tüchlein ab, die gute Dame aber wischte ihre Flöte aus, und nach einem kurzen Weilchen umarmten sie sich, und der Pater sagte: »O mein Fasänchen, meine Pfauhenne, meine Taube, Seele aller Seelen, Herz aller Herzen, Leben aller Leben, erscheint es dir nicht angemessen, daß dein Narziß, dein Ganymed, dein Engel auch einmal deine Hinterwohnung beziehe?« Sie aber antwortete: »O du mein Gänserich, mein Schwan, mein Falk, Trost aller Tröstungen, Freude aller Freuden, Hoffnung aller Hoffnungen, dünkt es dich nicht recht, daß deine Nymphe, deine Magd, deine Komödie einmal deine Natur in der ihrigen unterbringe?« Damit warf sie sich auf ihn und biß ihn in die Lippen, daß die schwarzen Male ihrer Zähne zurückblieben; er aber stieg einen fürchterlichen Schrei aus.

Antonia: Hu! Welche Wonne!

Nanna: Hierauf nahm die verständige Äbtissin die Reliquie in die Hand, führte sie an ihre Lippen und küßte sie zärtlich und kaute und biß mit andächtiger Inbrunst daran herum – wie ein Hündchen, aus reiner Lust am Beißen, einem die Hand oder das Bein beknabbert, so daß man lachen muß, obgleich es weh tut. So schrie auch der rüdige Mönch, als er die scharfen Zähne Seiner Lieben Frau fühlte, ganz verzückt: »Au! au!«

Antonia: Hätte sie ihm doch ein Stück abgebissen, die Schleckerin!

Nanna: Während in dieser Weise die gute barmherzige Seele von Äbtissin mit ihrem Idol scherzte, klopft es ganz leise an die Tür. Sie horchten beide auf und spitzen die Ohren und hören ein leises Pst! pst! Daran erkannten sie, daß es des Beichtvaters Knabe für alles war, der dann auch gleich darauf hineinkam, denn ihm wurde sofort aufgetan. Und weil er ohnehin längst wußte, wieviel ihre Wolle wog, so genierten sie sich vor ihm nicht im geringsten, sondern die Schelmäbtissin ließ des Paters Pumpenschwengel fahren, ergriff das Spätzchen des Kleinen bei den Flügeln und zitterte vor Lust, mit des Bürschchens Fiedelbogen ihre Geige zu streichen. Und sie sprach. »Mein Lieb, bitte, bitte, tu mir eine Liebe!« – »Gern«, antwortete der Mönch, »was wünschest du?« – »Ich möchte«, sagte sie, »diesen Käse mit meiner Reibe bearbeiten, aber du müßtest gleichzeitig die Pauke deines Patensöhnchens mit deinem Schlägel vertrommeln. Und wenn der Spaß dir Spaß macht, so lassen wir unsere Rößlein galoppieren; wenn nicht, so probieren wir so viele verschiedene Arten, bis wir eine finden, die uns gefällt.« Unterdessen hatte Frau Galassos Hand des Knaben Senftöpflein enthüllt. Als die hohe Frau dies sah, legte sie sich hintenüber, das Vogelbauer stand weit offen, die Nachtigall wurde hineingesperrt, und dann zog sie zu allgemeiner Befriedigung das ganze Paket an sich. Du kannst dir denken, daß es ihr beinahe das Herz abstieg, so ein Ding wie ‘ne Art Weltglobus auf dem Bauch zu haben: Es quetschte sie zusammen wie ein Stück Zeug in der Wäscherolle. Zuletzt schüttelte sie die Last ab, denn die beiden anderen hatten inzwischen auch ihre Schüsse abgefeuert. Das Spiel war aus, und nun begannen sie zu schmausen und gossen sich unzählige Gläser Wein hinunter und stopften sich den Wanst mit Gebäck voll.

Antonia: Wie konntest du denn nur die Lust nach ‘nem Mann bändigen, da du so viele Schlüssel sahest?

Nanna: Es ist richtig, mir lief das Wasser im Munde zusammen, als ich die Heldentaten der Äbtissin sah; ich hatte ja aber den Glasdolch in der Hand …

Antonia: Du, weißt du, ich glaube, du schnuppertest alle Augenblicke mal dran, wie man an 'ner Nelke riecht!

Nanna: Hahaha! Na ja, die Scharmützel, die ich mit angesehen, hatten mir Appetit gemacht. Ich goß nun den kaltgewordenen Urin aus der Röhre aus und füllte sie mit frischem, ganz heißem. Dann hielt ich sie unter mich, setzte die Spitze an und dachte daran, sie ins Culisco einzuführen, denn probieren muß man alles, weil man sonst nicht sagen kann, wie die Welt läuft.

Antonia: Das war vollkommen richtig von dir gedacht; so hättest du's nur machen sollen.

Nanna: So rutschte ich mit dem Hintern auf der Stange hin und her, und die Reibung verursachte mir vorne recht angenehme Gefühle; ich schwankte zwischen zwei Entschlüssen und erwog bei mir das Für und Wider, ob ich mir das Argument ganz zu eigen machen sollte oder nur einen Teil desselben. Ich glaube wohl, ich hätte schließlich doch den Hund in den Dachsbau hineingelassen, wenn ich nicht in diesem Augenblick den Beichtvater, der sich inzwischen angekleidet hatte, und seinen Zögling von der wohlzufriedenen Äbtissin hätte Abschied nehmen hören. Da lief ich schnell herzu, um zu sehen, was für Schweinkram sie zum Schluß noch machen würden. Sie spielte das Püppchen und die liebe Unschuld und sagte mit allerlei Grimassen: »Wann kommst du wieder? O Gott, o Gott – wer ist mein süßes Zuckerstengelchen? wer ist mein angebetetes Männchen?« Und der Pater schwor bei den Litaneien und beim Advent, am nächsten Abend käme er wieder. Und der Junge, der sich noch den

Hosenlatz zunestelte, steckte ihr zum Abschied die ganze Zunge in den Mund. Und im Abgehen hörte ich den Beichtvater das Pecora campi aus der Vesper anstimmen.

Antonia: Der Schmutzfink dachte wohl, das wäre 'ne gute Komplete?*

Nanna: Du hast's erraten. Kaum war nun dieser fort, so hörte ich auf der anderen Seite einen gewaltigen Spektakel und schloß daraus, daß auch die Ringelstecher mit ihrem Tagewerk fertig wären und sich Viktoria rufend nach Hause begäben. Und zu guter Letzt ließen sie noch einmal ihre Rößlein seichen, daß es rauschte wie der erste Augustregen.

Antonia: Heiliges Blut!

Nanna: Aber höre, höre – noch eine Geschichte! Die beiden Nönnchen, die mit ihren Bündeln fortgegangen waren, kehrten in ihre Zelle zurück; sie hatten nämlich, soviel ich aus ihrem Brummen und Schimpfen entnehmen konnte, die Hintertür verschlossen gefunden. Das war auf Befehl der Äbtissin geschehen, und auf diese häuften sie mehr Flüche und Verwünschungen, als am Tage des Jüngsten Gerichts die Priester werden anzuhören haben. Aber ihr Weg war doch nicht ganz umsonst gewesen, denn als sie die Treppe heruntergingen, hatten sie den vor zwei Tagen in den Dienst des Klosters eingetretenen Stallknecht schlafend gefunden. Flugs warfen sie ein Auge auf ihn, und die eine sprach zur anderen: »Geh hin und weck ihn auf und sag ihm, er solle dir einen

* ›Komplete‹ heißt in Klöstern das Abend- oder Schlußgebet.

Arm voll Holz in die Küche bringen. Er wird denken, du seist die Köchin und wird gleich mitgehen. Dann zeigst du ihm unsere Zelle und sagst ihm: ›Bring das Holz hier herein!‹ Ist der Spitzbube erst mal hier drinnen, so überlaß es nur deinem Schwesterchen, ihm das Nötige beizubringen.« Diese Worte fielen nicht in taube Ohren, und das Nönnchen machte sich sofort auf den Weg. Während sie fort ist, komm ich 'nem anderen Schlich auf die Spur.

Antonia: Was entdecktest du denn?

Nanna: Neben der Zelle der beiden Nonnen, von denen ich dir eben erzählte, war ein Kämmerchen, das war eingerichtet wie 's Boudoir einer Kurtisane, ganz entzückend niedlich, und darin waren zwei himmlisch schöne Nonnen. Überaus geschmackvoll hatten sie ein Tischchen gedeckt: Ein Tischtuch lag darauf, das sah aus wie blendendweißer Damast und duftete nach Lavendel stärker als das Moschustier nach Moschus. Hierauf legten sie nun Mundtücher, Teller, Messer und Gabeln für drei Personen, so blitzblank und sauber, daß ich's dir gar nicht beschreiben kann. Aus einem Körbchen holten sie eine große Menge Blumen hervor und begannen dann mit viel Sorgfalt den Tisch damit auszuschmücken. Die eine machte in der Mitte einen Kranz aus lauter Lorbeerblättern mit weißen und hochroten Rosen an den Stellen, wo diese sich am besten ausnahmen; die Bänder aber, die den Kranz zusammenhielten und deren Enden hübsch über das Tischtuch gelegt waren, waren mit Orangenblüten geziert. In dem Rund des Kranzes war aus Gurkenkrautblüten der Name des bischöflichen Vikars gebildet, der mit seinem

Monsignor am selben Tage angekommen war, und ihm viel mehr als Seiner Großmützigkeit hatte das Glockengebimmel gegolten, wovon ich tausend schöne Sachen nicht gehört hatte, die gewiß recht anmutig zu erzählen gewesen wären. Also für den Herrn Vikar wurde das ganze Fest veranstaltet, wie ich aber erst nachher erfuhr. Die andere Nonne hatte inzwischen in allen vier Ecken des Tisches ein schönes Bild gemacht: in der ersten den Salomonischen Fünfstern aus Veilchen, in der zweiten das Labyrinth aus Holderblüten, in der dritten ein Herz aus blutroten Rosen, von einem Pfeil durchbohrt. Diesen Pfeil bildete ein Nelkenstengel, und die Pfeilspitze stellte die halberschlossene Blume dar, die aussah, als sei sie von dem Blut des verwundeten Herzens besprengt. Über diesem Herzen hatte sie aus Ochsenzungenblumen ihre Augen abgebildet: Die schwarzblaue Farbe sollte bedeuten, daß sie vom Weinen so geworden seien, und die Tränen, die aus ihnen troffen, waren jene Orangenknöpfchen, die sich immer im Nu an den Spitzen der Zweige bilden. In der letzten Ecke befanden sich zwei verschlungene Hände aus Jasmin und darüber ein Fides aus Gelbveigelein. – Als dies alles fertig war, begann die eine einige Trinkgläser mit Feigenblättern zu reinigen, und so eifrig rieb sie, daß es aussah, als wäre das Kristall zu Silber geworden. Unterdessen deckte ihre Kameradin ein linnenes Tüchlein über eine kleine Bank und stellte schön in Reih und Glied die Gläser drauf, in die Mitte aber ein birnförmiges Fläschchen mit Orangenblütenwasser, und darumgeschlungen zum Händeabtrocknen eine Serviette von feiner Leinwand, deren Enden hingen herab wie die Bänder einer Mitra über die Schläfen des Bischofs. Unter der Anrichtebank stand ein kupferner Eimer, der hatte von Sand, Essig und Fleiß der Putzerin einen Glanz gekriegt, daß man sich in ihm spiegeln konnte. Er war randvoll von kaltem Wasser, und in seinem Bauch ruhten zwei Krügelchen aus durchsichtigem Glas, die schienen nicht etwa roten oder weißen Wein zu enthalten, sondern geschmolzene Rubinen und Topase. Nachdem dies alles hergerichtet war, zog die eine Nonne aus einem Koffer das Brot, weiß und locker wie Watte, und reichte es der anderen, die es auf den rechten Platz legte. Dann ruhten sie sich ein bißchen aus.

Antonia: Wahrhaftig, mit solcher Sorgfalt können auch nur Nonnen, denen es auf die Zeit nicht ankommt, eine Tafel ausputzen!

Nanna: Wie sie nun so dasitzen, schlägt ganz zitterig die dritte Stunde. Da sagt die eine, die's gar nicht mehr erwarten kann: »Mit dem Vikar dauert's länger als die Weihnachtsmesse!« Versetzt die andre: »Kein Wunder, daß er säumt; der Bischof, der morgen firmt, wird ihm was aufgetragen haben.« Sie plauderten nun von tausend Firlefanzereien, damit ihnen das Warten nicht zu lang würde. Aber als wiederum eine geschlagene Glockenstunde vergangen war, da fingen sie an, auf ihn zu schimpfen wie Meister Pasquino auf die Kardinäle, und Lumpenkerl, Schweinehund, Schlappschwanz waren noch Festtagsnamen im Vergleich mit den anderen, die sie ihm gaben. Die eine stürzte ans Feuer, wo zwei Kapaunen schmorten, die waren so fett, daß sie nicht mehr hatten gehen können, und neben ihnen hielt ein Pfau die Wacht mit einem Bratspieß, der sich unter seinem Gewicht bog, als die Nonnen ihn vom Feuer nahmen. Und die eine hätte alles zum Fenster hinausgeworfen, wenn ihre Freundin sie nicht daran gehindert hätte. Während sie sich noch darüber streiten, kommt auf einmal der Stallknecht, der das Holz in die Zelle der beiden Lüsternen bringen sollte. Er hatte sich in der Tür geirrt, obwohl das Nönnchen, das ihm das Holzbündel auf die Schulter gehoben, ihm ganz richtig Bescheid gesagt hatte. Der Esel trat in die andere Zelle ein, in der der Herr Vikarius erwartet wurde, und schmiß seine Ladung Holz auf die Diele. Als dies die Nonnen nebenan hörten, schlugen sie sich die Nägel ins Gesicht und rissen sich die ganze Haut herunter.

Antonia: Was sagten denn die, zu denen der Kerl kam?

Nanna: Was hättest du wohl gesagt?

Antonia: Ich hätte die Gelegenheit beim Schopf ergriffen.

Nanna: Das taten sie auch! Fröhlich über das unerwartete Erscheinen des Stallknechts, wie die Tauben fröhlich flattern beim Anblick neuen Futters, empfingen sie ihn mit königlichen Ehren. Erst schoben sie den Türriegel vor, damit der Fuchs nicht aus der Falle entwischen könnte; dann hießen sie ihn in ihrer Mitte niedersitzen, nachdem sie ihn mit einem blitzsauberen Handtuch abgewischt hatten. Der Stallknecht war ein Bengel von etwa zwanzig Jahren, bartlos, pausbäckig, mit 'ner Stirn wie 'ne Backmulde und 'nem Gesäß wie ein Abt, groß und stark, und mit einem Gesicht wie Milch und Blut, ein rechter Gedankenscheißer, mehr für Festefeiern als fürs Arbeiten

– kurz, er paßte ihnen nur zu gut in ihren Kram. Er schwatzte die komischsten Dummheiten von der Welt, als er sich da so an einer Tafel mit Kapaunen und Pfauenbraten sah, schob sich faustgroße Bissen ins Maul wie ein Scheunendrescher und soff wie ein Bürstenbinder. Den Nönnchen aber kam es vor, als dauerte es tausend Jahre, bis er ihnen mit seinem Klöppel durch die Haare führe, und sie stocherten bloß im Essen herum, wie's Leute tun, die keinen Hunger haben. Der Stallknecht hätte getafelt wie ein Fuhrherr, wenn nicht schließlich die Lüsternste die Geduld verloren – wie sie einer verliert, der Eremit wird – und sich auf seine Pfeife gestürzt hätte wie der Hühnergeier aufs Küchlein. Kaum hatte sie ihn drangefaßt, so sprang ein Stück Lanzenschaft hervor, das es mit Bivilacquas Hellebarde aufnehmen konnte, ein Ding wie die Posaune auf der Engelsburg, die ihren Bläser in die Luft reißt. Während nun die eine die Hand am Knüppel hatte, räumte die andere den Tisch ab. Ihre Kameradin schob sich den Kleinen zwischen die Beine und ließ sich auf des ruhig sitzen gebliebenen Stallknechts Flöte fallen. Und da sie so stürmisch schob und drängelte wie die Leute auf der Brücke, sobald der Segen erteilt ist, so fiel der Stuhl um und mit dem Stuhl der Stallknecht und die Nonne, und sie schossen einen Purzelbaum wie zwei Affen. Dabei schlüpfte der Riegel aus dem Loch heraus, und die andere Nonne, die inzwischen die Zähne gefletscht hatte wie 'ne alte Stute, kriegte Angst, der Kleine, der nichts auf dem bloßen Kopfe hatte, könnte sich erkälten, und deckte ihn schnell mit ihrem Verbi gratia zu. Darüber geriet ihre Freundin, die nun nicht mehr den dicken Nagel hatte, in solche Wut, daß sie ihr an die Gurgel sprang, und sie würgte, bis sie das Bißchen, was sie gegessen hatte, wieder von sich gab. Die andere drehte sich nach ihr um, ließ Stallknecht Stallknecht sein, und dann verwichsten die beiden Nonnen sich nach Noten wie die glückseligen Eckensteher und Sonnenbrüder.

Antonia: Hahaha!

Nanna: Gerade in diesem Augenblick, wo der Kerl aufstand, um sie auseinanderzubringen, fühlte ich, wie sich mir eine Hand auf die Schulter legte, und ganz leise sagte jemand zu mir: »Gute Nacht, mein geliebtes Seelchen!« Ich zitterte vor Schreck am ganzen Leibe, um so mehr, da die Schlacht zwischen den beiden brünftigen Hündinnen – anders kann ich sie nicht nennen – meine Aufmerksamkeit so in Anspruch nahm, daß ich für gar nichts anderes mehr Gedanken hatte. Als ich nun die Hand auf meinem Rücken fühlte, fuhr ich schnell herum und schrie: »Ach Gott, wer ist denn das?« Und ich wollte aus Leibeskräften um Hilfe rufen, da sehe ich, es ist der Bakkalaureus, der mich hatte verlassen müssen, um den Bischof zu bewillkommnen, und da war ich ganz beruhigt.

Trotzdem aber sagte ich: »Vater, ich bin nicht so eine! Geht weg! … Ich will nicht! … Wahrhaftig, ich werde schreien! … Lieber ließe ich mir die Adern öffnen! … Ich tu's nicht, sag ich Euch; nein, nein, ich tu's nicht! … Gott soll mich vor so was bewahren … Ihr müßtet Euch ja schämen! … Was sind das für Sachen?! … Man wird's erfahren!« … Er aber sagt zu mir: »Wie kann in einem Cherubim, einem Himmelsthron, einem Seraphim solche Grausamkeit wohnen? Ich bin Euer Sklave, ich bete Euch an, denn Ihr allein seid mein Altar, meine Vesper, meine Komplete und meine Messe. Und wenn's Euch beliebt, daß ich sterben soll: Hier ist das Messer! Durchbohrt mir die Brust damit, und Ihr werdet in meinem Herzen Euren lieblichen Namen mit goldenen Lettern geschrieben sehen!« Mit diesen Worten wollte er mir ein wunderschönes Messer mit silbervergoldetem Griff in die Hand drücken, die Klinge aber war bis zur Hälfte aufs feinste damasziert. Ich wollte es durchaus nicht nehmen und hielt, ohne ihm zu antworten, das Gesicht zur Erde gesenkt. Er aber bestürmte mich mit so vielen Ausrufen und Klagen, daß ich dachte, er sänge ein Passionslied, und bog mir immerzu den Kopf zurück, bis ich schließlich mich besiegen ließ.

Antonia: Das ist lange nicht so schlimm, als wenn eine so tief sinkt, ihre Mitmenschen zu ermorden oder zu vergiften. Es war sogar 'ne frommere Tat von dir als der Monte di Pietà; und jede ehrenwerte Frau sollte sich an die ein Exempel nehmen. Aber weiter!

Nanna: Und so ließ ich mich denn von seiner Mönchspredigt unterkriegen, worin er mir mehr Lügen sagte, als 'ne Uhr, die nicht in Ordnung ist. Er legte mich auf den Rücken mit einem Laudamus te!, wie wenn er im Palmsonntag die Palmenwedel einzusegnen hätte, und mit seinem Singen sang er sich mir so ins Herz, daß ich ihn gewähren ließ. Aber was hätte ich denn nach deiner Meinung machen sollen, Antonia?

Antonia: Nichts andres, als was du tatest, Nanna!

Nanna: So fahre ich denn also fort. Aber höre – kannst du's dir denken?

Antonia: Was denn?

Nanna: Der fleischerne kam mir weniger hart vor als der gläserne!

Antonia: Ein großes Geheimnis!

Nanna: Wahrhaftig! Ich schwör's dir bei diesem Kreuz.

Antonia: Was brauchst du erst zu schwören? Ich glaub dir's ja und glaube es immerdar!

Nanna: Ich spritzte – aber kein Wasser ...

Antonia: Hahaha!

Nanna: ... sondern etwas klebriges Weißes, beinahe wie Schneckenschleim. Er machte es mir also dreimal, mit Respekt zu vermelden, zweimal auf die alt überlieferte Weise, und einmal nach moderner Art; und diese letztere, mag sie erfunden haben, wer will, gefällt mir ganz und gar nicht. Wahrhaftig nicht ... nicht ein bißchen gefällt sie mir!

Antonia: Da hast du unrecht!

Nanna: So? Na denn meinetwegen, dann hab ich unrecht! Aber ich sage dir: Wer sie erfunden hat, das war einer, dem alles zum Überdruß geworden war und der bloß noch konnte, wenn er ... na, ich brauch es dir ja nicht zu sagen.

Antonia: Du Nanna, verschwör dich nicht! Das ist 'ne Leckerei, nach der man eifriger hinterher ist als nach Lampreten; das ist 'ne Kost für die ganz feinen Kenner! [...]

Die Gespräche des Göttlichen Pietro Aretino

Wie Nanna ihr Töchterlein Pippa im Hurenberuf unterrichtet

[…]

Nanna: Höre nur hübsch zu und trichtere dir meine Episteln und Evangelien in den Kopf. Die werden dich in zwei Worten aufklären, nämlich: Wenn ein Doktor, ein Philosoph, ein Kaufherr, ein Soldat, ein Mönch, ein Priester, ein Einsiedler, ein Edelmann, ein Monsignore, ein Salomon von diesen albernen Gänsen so weit gebracht werden, daß man sie für dummes Vieh halten möchte, wie meinst du denn, würde mit diesen Tröpfen eine umspringen, die Grütze im Kürbis hätte?

Pippa: Ganz eklig würde so eine mit ihnen umspringen.

Nanna: Das Hurengewerbe ist also kein Beruf für 'ne Dumme; und darum habe ich's, die ich Bescheid weiß, es mit dir gar nicht so eilig. Es genügt nicht, die Röcke hochzuheben und zu sagen: »So! Meinetwegen kann's losgehen!« Man muß was anderes können, sonst macht man Bankrott am selben Tage, wo man die Bude eröffnet. Nun wollen wir zum Mark kommen: Es wird sich so machen, sobald man hört, daß du den Betrieb eröffnet hast, daß viele zuerst bedient sein möchten, und da werde ich einem Beichtvater gleichen, der eine aufgeregte Menge zu beschwichtigen hat, so viele ›Pst! pst!‹ werden mir von den Abgesandten, von diesem und jenem in die Ohren getuschelt werden, und du wirst immer von einem Dutzend vorausbestellt sein, so daß wir wünschen möchten, die Woche hätte so viele Tage wie ein Monat. Ich sehe mich schon in meiner Rolle, wie ich einem Diener des Herrn soundso antworte: »Es ist ja wahr, meine Pippa hat sich ihr Blümchen pflücken lassen – der liebe Gott mag wissen, wie das zugegangen ist! Dieser Kuh, der Kupplerin, dieser Spitzbübin, der werde ich's schon heimzahlen; meine Tochter ist ja reiner als eine Taube – die hat keine Schuld daran, und – auf Nannas Wort! – sie hat's nur ein einziges Mal getan! Ich müßte ja eine wahre Barbarin sein, mein eigenes Kind so herzugeben. Aber Seine Gnaden hat mich so völlig bezaubert, daß ich's nicht über die Lippen bringe, dem Herrn nein zu sagen. Gleich nach dem Ave-Maria wird meine Pippa bei ihm sein.« Im Augenblick nun, wo der Bote sich gerade wieder trollen will, um die Bestellung auszurichten, da mußt du durchs Haus gelaufen kommen; tu, als ob deine Flechten aufgegangen seien, und laß die Haare über den Nacken herabfallen. Und wenn du in das Zimmer trittst, so erhebst du dein Gesicht ein wenig, so daß der Lakai einen schnellen Blick auf dich werfen muß.

Pippa: Wozu ist das gut?

Nanna: Das ist gut, weil alle diese Burschen ihre Herren begaunern und beschwindeln. Der, von dem ich spreche, wird zu seinem Herrn springen, um sich bei ihm lieb Kind zu machen, und wird ihm ganz atemlos und aufgeregt sagen: »Gnädiger Herr, ich habe mir soviel Mühe gegeben, daß es mir gelungen ist, das Mädchen zu sehen; Zöpfe hat sie, die gleichen Goldfäden, zwei Augen, die's mit denen eines Falken aufnehmen können. Und noch eins: ich habe so ganz beiläufig von Euch gesprochen, um zu beobachten, welchen Eindruck Euer Name machen würde; wahrhaftig, ich glaube, das ist eine, die man mit einem Seufzer in Brand stecken kann.«

Pippa: Welchen Vorteil können mir denn solche Schnäcke bringen?

Nanna: Sie werden dem, der Lust nach dir hat, eine sehr gute Meinung von dir beibringen; die Stunde, die er auf dich warten muß, wird ihm so lang vorkommen wie tausend Jahre. Was meinst du, wie viele Esel es nicht gibt, die sich schon verlieben, wenn sie bloß 'ne Zofe das Lob ihrer Herrin singen hören, und denen das Wasser im Munde zusammenläuft, bloß weil diese Lügnerinnen und Schelminnen ihre Herrschaft über den grünen Klee loben!

Pippa: Dann sind, wie's scheint, die Zofen von derselben Sorte wie die Bedienten?

Nanna: Schlimmer noch! Nun, du gehst also zu dem reichen Herrn, den ich hier als Beispiel herausgreife, ins Haus, und ich begleite dich. Bist du bei ihm angekommen, so wird er dir entgegengehen, entweder bis oben an die Treppe oder gar bis an die Haustür. Du bringst deine Kleider in Ordnung, die sich unterwegs vielleicht ein bißchen verschoben haben, und hältst dir hübsch stramm die Arme an den Leib. Einen flüchtigen Blick wirfst du auf die Gesellschafter des Herrn, die, wie sich's gehört, sich ein wenig zur Seite halten, dann heftest du bescheiden deine Blicke in die seinigen, machst ihm eine parfümierte Reverenz und bringst deinen Gruß an, wie es – so sagt die Perugina – die Frauen und Wöchnerinnen zu machen pflegen, wenn die Verwandten ihres Mannes oder die Gevattern ihr die Hand schütteln.

Pippa: Dabei werde ich aber vielleicht rot werden.

Nanna: Aber das wäre ja reizend! Denn die Schminke, die die Schamhaftigkeit über die Wangen eines jungen Mädchens breitet, raubt den Männern die Herzen.

Pippa: Das ist ja dann gut.

Nanna: Wenn die Zeremonien gebührend erledigt sind, wird der Herr, mit dem du die Nacht zu schlafen hast, zuallererst dich an seiner Seite niedersitzen lassen, und wenn er dich an der Hand zu deinem Platze führt, wird er auch mir einige Freundlichkeiten sagen. Ich aber werde, um die Aufmerksamkeit aller Gäste auf dein Gesicht zu lenken, fortwährend mit den Augen an deinem Antlitz hängen, als ob ich ganz betäubt sei ob deinen Schönheiten. Und da wird er denn gar bald sagen: »Madonna, Eure Mutter hat ganz recht, daß sie Euch anbetet, denn andere Frauen bekommen Kinder, sie aber hat einen Engel zur Welt gebracht?« Und sollte er etwa, nachdem er solche Worte gesprochen hat, sich zu dir neigen, um dich aufs Auge oder auf die Stirn zu küssen, so wende dich sanft ihm zu und stoße einen Seufzer aus, den aber kaum nur er alleine hören kann. Und wenn es dir möglich wäre, dabei das Erröten hervorzubringen, wovon wir vorhin sprachen, so hättest du ihn sofort an deiner Angel.

Pippa: Wirklich, ja?

Nanna: Aber ganz gewiß!

Pippa: Warum?

Nanna: Darum, weil der Seufzer und das gleichzeitige Erröten Zeichen der Verliebtheit sind, und ein Beweis, daß du dich in ihn zu vergaffen beginnst. Und da alle anderen sich natürlich zurückhalten, so wird der Herr, der die nächste Nacht den Genuß von dir haben soll, anfangen sich einzubilden, du seist ganz verschossen in ihn, und das wird er um so leichter glauben, je mehr du ihn mit deinen Blicken verfolgst. Während er nun fortwährend mit dir plaudert, wird er dich ganz allmählich in eine Ecke ziehen, und da wird er mit den süßesten und allergewähltesten Worten das Gespräch auf Liebe und solchen Firlefanz bringen. Da mußt du ihm denn treffend zu antworten wissen; gib dir rechte Mühe, mit sanfter Stimme ein paar Worte zu sagen, die nicht nach dem Puff riechen. Inzwischen wird die Gesellschaft, die derweile mit mir gescherzt hat, sich an dich heranmachen wie Nattern, die sich durchs Gras heranschlängeln, und lachend und witzelnd wird dir der eine dies, der andere jenes sagen. Da paß dann gut auf, und magst du nun sprechen oder magst du schweigen – das Sprechen und das Schweigen muß in deinem Munde schön erscheinen. Wenn du dich zu diesem oder zu jenem zu wenden hast, so sieh ihn nicht mit geilen Blicken an, sondern so, wie Mönche keusche und ihren Gelübden gehorsame Namen ansehen. Und nur den Freund, der dir Tisch und Bett gibt, beglücke mit sehnsüchtigen Blicken und schmachtenden Worten. Und wenn du lachen willst, so brülle nicht nach Hurenart laut auf, wobei du die Kinnbacken auseinander reißest, daß man dir bis hinten in den Rachen hinuntersieht – nein! sondern lache so, daß kein einziger Zug deines Gesichtes dadurch verunschönt wird. Im Gegenteil, verschöne es durch ein Lächeln, durch einen Augenaufschlag, und laß lieber einen Zahn fallen als ein häßliches Wort. Schwöre nicht bei Gott oder bei den Heiligen, versteife dich nicht darauf, etwas zu bestreiten: »Nein, so ist's nicht gewesen.« Erzürne dich nicht über Bemerkungen, wodurch diese Art Herren unsereins so gern ein bißchen in Harnisch bringen. Denn eine, die jeden Tag mit einem andern Hochzeit feiert, die muß ihren Schmuck nicht in samtenen Kleidern sehen, sondern im liebenswürdigen Wesen, und muß in jeder Gebärde die Dame hervorkehren. Und wenn du dann zu Tisch gerufen wirst, so sei immer die erste, dir die Hände zu waschen und an deinen Platz zu gehen; setze dich aber erst, nachdem es dir mehr als einmal gesagt ist, denn wer sich selbst erniedrigt, der wird erhöhet werden.

Pippa: So werd ich's machen.

Nanna: Wenn dann der Salat kommt, so stürze dich nicht darauf wie die Kuh aufs Heu, sondern nimm ganz kleinwinzige Bißchen und mache dir kaum die Fingerspitzen fettig, indem du sie zum Munde führst. Und den Mund senke nicht auf den Tisch nieder, wie wenn du das Essen damit vom Teller schnappen wolltest, wie man's so manche

Schlumpe machen sieht, sondern sitze voller Majestät da und strecke mit anmutiger Gebärde die Hände aus; wenn du zu trinken wünschest, so nicke dem aufwartenden Lakaien zu; wenn aber die Karaffen auf der Tafel stehen, so bediene dich selber. Und fülle nicht das Glas bis zum Rande, sondern nur ein bißchen höher als bis zur Hälfte, setze voll Anmut die Lippen an und trinke niemals ganz aus.

Pippa: Wenn ich nun aber großen Durst habe?

Nanna: Einerlei. Trinke trotzdem wenig, damit man dich nicht als Schlemmerin und Trunkenboldin verschreit. Kaue auch nicht die Speisen mit offenem Munde, indem du auf widerwärtige und unappetitliche Art dabei schmatzest, sondern mach es so, daß du kaum zu essen scheinst. Während du issest, sprich sowenig wie möglich, und wenn dich nicht etwa andere fragen, so fange nicht von selber an zu schwatzen. Und wenn einer der Gäste, der die Speisen vorlegt, dir einen Hühnerflügel, ein Stück Kapaunen- oder Rebhuhnbrust anbietet, so nimm es mit einer Verbeugung, sieh aber dabei deinen Liebhaber an; dadurch bittest du ihn um Erlaubnis, ohne ausdrücklich ein Wort zu sagen. Und wenn du mit dem Essen fertig bist, so rülpse nicht – um Gottes willen!

Pippa: Wenn mit nun aber doch mal unversehens ein Rülpser entführe?

Nanna: Brrr! Da würden nicht nur die Ekligen, es würde die Ekelhaftigkeit selber Ekel vor dir haben.

Pippa: Wenn ich nun alle Eure Lehren und noch mehr beobachte, wie wird's dann weiter kommen?

Nanna: Da wirst du den Ruf erlangen, die tüchtigste

und anmutigste Kurtisane von der Welt zu sein, und ein jeder wird sagen, wenn er über dich mit einem anderen spricht: »Verlaßt Euch drauf, der Schatten von Signora Pippas alten Schuhen ist mehr wert als dieunddie und jeneundjene in Schuhen und Kleidern!« Und alle, die dich kennen, werden deine Sklaven bleiben und werden überall von deinen Vorzügen predigen; und du wirst ebenso begehrt sein, wie man die andern flieht, die sich wie Spitzbübinnen und Landstreicherinnen benehmen. Und denke, wie stolz ich dann auf dich sein werde!

Pippa: Was muß ich denn machen, wenn wir mit dem Essen fertig sind?

Nanna: Unterhalte dich ein kleines Weilchen mit deinem Nachbarn; verlaß aber ja nicht den Platz neben deinem Anbeter. Wenn's Bettzeit ist, läßt du mich nach Hause gehen, du selbst aber sagst respektvoll: »Gute Nacht, meine Herrschaften!« Und hüte dich mehr als vorm Feuer, daß man dich nicht pissen sieht oder hört, auch geh nicht auf den Abtritt und benutze nicht dein Taschentuch, um dich abzuwischen; denn alle diese Sachen würden den Hühnern übel machen, die doch an jedem Scheißdreck herumpicken. Wenn du aber mit ihm hinter verschlossener Tür in der Kammer bist, sieh dich fleißig um, ob du nicht irgendein Handtuch oder ein Häubchen entdeckst, das dir passen könnte; bitte nicht darum, aber lobe die Handtücher und die Häubchen.

Pippa: Zu welchem Zweck?

Nanna: Damit der Hund, der auf die Hündin will, dir das eine oder andere zum Geschenk anbiete.

Pippa: Und wenn er sie mir anbietet?

Nanna: Drück ihm 'nen Kuß auf, mit 'nem kleinen Zungenschlag, und nimm an.

Pippa: Das werde ich machen.

Nanna: Während er sich dann mit Kuriergeschwindigkeit zu Bette begibt, ziehst du dich ganz sachte aus und murmelst dabei einige Worte zu dir selber, die du noch ab und zu mit einem Seufzer untermischst; auf diese Weise kann er nicht umhin, dich zu fragen, sobald du dich ihm zur Seite legst: »Worüber seufzet ihr denn, liebe Seele?« Dann presse noch einen Seufzer hervor und sage: »Euer Gnaden haben mich behext!« Und mit diesen Worten umschlinge ihn ganz fest und küsse ihn und küsse ihn immerzu, so stark du nur kannst, dann schlag ein Kreuz, wie wenn du's beim Eintreten ins Zimmer vergessen hättest, und wenn du kein Gebet oder sonst was Ähnliches sagen willst, so bewege ein bißchen die Lippen, damit es so aussieht, als ob du betest wie eine, die das in allen Lebenslagen zu tun gewöhnt ist. Nun wird der Kerl, der in seinem Bett schon auf dich wartete wie einer, der mit einem Wolfshunger sich zu Tische gesetzt hat, ehe noch Brot und Wein aufgetragen sind – nun wird der Kerl, sage ich, dir mit den Händen die Brüste streichen und wird sein Gesicht in sie vergraben, wie wenn er daraus trinken wollte, dann wird er den Bauch tätscheln und so allmählich sich zu deinem Mäuschen herunterarbeiten; und nachdem er sie ein bißchen befingert hat, wird er anfangen, dir die Lenden zu betätscheln, und dann kommen die Hinterbäckchen dran, die eigentlich unser Unglück sind, denn sie ziehen unwiderstehlich die Hand an, sag ich dir; und nachdem er sie ein bißchen beklopft hat, wird er dir sein Knie zwischen die Beine schieben, um zu versuchen, ob du dich nicht umdrehst; indessen wird er es dieses erste Mal nicht wagen, dich geradezu darum zu bitten. Da bleibe mir aber fest, und sollte er etwa anfangen zu winseln und das Püppchen zu spielen und sonderbare Manieren zu zeigen, so dreh dich auf keinen Fall um.

Pippa: Und wenn er mir nun Gewalt antut?

Nanna: Man tut keiner Gewalt an, Närrin!

Pippa: Aber was ist denn weiter dabei, ob er mir's ein bißchen weiter vorne oder hinten macht?

Nanna: Äffchen! Du sprichst wirklich wie 'ne Närrin, die du bist. Sag mir schnell, was ist mehr wert: ein Julius oder ein Dukaten?

Pippa: Jetzt versteh ich: Das Silber ist nicht so viel wert wie das Gold.

Nanna: Richtig! Und jetzt fällt mir ein famoser Streich ein.

Pippa: Sagt ihn mir doch!

Nanna: Ein wirklich famoser, ein ganz ausgezeichnet famoser!

Pippa: Bitte, bitte, Mamachen!

Nanna: Wenn er dir also das linke Bein zwischen die Schenkel schiebt, um dich zu seiner Bequemlichkeit umzudrehen, so befühle ihn, ob er nicht irgendwelche Kettchen am Arm oder Ringe am Finger hat; und während der Brummer um dich herumschnurrt wegen der Versuchung, in die ihn der Duft des Bratens bringt, sieh zu, ob er sich seine Sachen wegnehmen läßt. Wenn ja, so laß ihn machen; sobald du ihm sein Geschmeide abgenommen hast, wirst du ihn ganz leicht nach allen Regeln der Kunst anführen; läßt er sich aber nichts wegnehmen, so sage ihm geradeheraus: »Wie? Euer Gnaden befassen sich mit solchen häßlichen Sachen von hinten?« Wenn du das sagst, wird er's auf vernünftige Art mit dir machen, und wenn er auf dich hinaufgeklettert ist, dann tu deine Schuldigkeit, meine Tochter, tu deine Schuldigkeit, Pippa; denn die Liebkosungen, mit denen wir den Ringelstechern helfen, daß sie fertig werden, die sind ihr Ruin; die Süßigkeit, die wir ihnen verabfolgen, bringt sie um. Und dann: Eine Hure, die damit gut umzugehen weiß, die ist wie ein Posamentierer, der seine Waren teuer verkauft; man kann wirklich nur einem Posamentenladen die Scherze, Spiele und Belustigungen vergleichen, die eine ausgelernte Hure verabfolgt.

Pippa: Was Ihr für Vergleiche macht!

Nanna: Nun, nimm nur den Posamentierer: Er hat Schnürsenkel, Spiegel, Handschuhe, Kränze, Bänder, Fingerhüte, Steck- und Nähnadeln, Gürtel, Häubchen, Tressen, Seifen, wohlriechende Öle, zyprischen Puder, falsche Haare und hunderttausend Sachen sonst noch. So hat auch eine Hure auf ihrem Lager Worte; Gelächter, Küsse, Blicke. Aber das ist noch gar nichts: In ihren Händen und in ihrer Dose hat sie alle Rubinen, Perlen, Diamanten, Smaragden und alle Melodie der ganzen Welt.

Pippa: Wieso denn?

Nanna: Wieso! Ha! Es gibt keinen Mann, der sich nicht

im siebenten Himmel dünkt, wenn seine geliebte Freundin im Augenblick, wo er ihr das Züngelchen zwischen die Lippen schiebt, ihm nach dem Ding greift, es zwei- oder dreimal zusammenpreßt, bis es sich aufbäumt, und, sobald es sich bäumt, es ein bißchen schüttelt. Dann läßt sie das tatenlustige Ding fahren, wartet einen Augenblick und nimmt seine Oliven in ihre flache Hand und streichelt sie sachte. Hierauf tätschelt sie ihm den Popo, krabbelt ihm an den Haaren herum und fängt wieder an, ihn auf den Hintern zu klatschen, bis der Pint, ganz saftgeschwollen, aussieht wie einer, der sich übergeben möchte, aber nicht kann. Der Liebhaber aber, dem solche Liebkosungen widerfahren, steht da voll Stolz wie ein Abt und würde sein Vergnügen nicht mit dem einer gekitzelten Sau vertauschen; und wenn er gar sieht, daß sie, die er zu reiten gedachte, sich als Reiterin auf ihn schwingt, da haucht er vor süßer Wollust die Seele aus.

Pippa: Was höre ich!

Nanna: Höre nur zu und lerne deine Ware verkaufen! Auf mein Wort, Pippa, wenn eine, die ihren Liebsten besteigt, auch nur ein Teilchen macht von dem, was ich dir sagen werde, so kann sie ihm das Geld viel besser aus den Hosen holen, als alle Würfel und Karten die Spieler auszubeuteln vermögen.

Pippa: Das will ich gern glauben.

Nanna: Verlaß dich drauf.

Pippa: Wünscht Ihr, daß ich es mit dem, der mich bei sich im Bett hat, so mache, wie Ihr's eben beschrieben habt?

Nanna: Jawohl, mach es so!

Pippa: Was kann ich denn aber anfangen, wenn er einmal auf mir obendrauf ist?

Nanna: Als ob es an Mitteln fehlte, ihn wieder aus dem Sattel zu werfen!

Pippa: Beschreibt mir doch eins!

Nanna: Gern, hör nur zu: Während er dich walkt, weine, werde nachdenklich, bewege dich nicht, schweig ganz still. Und wenn er dich fragt, was du denn habest, so stöhne nur. Wenn du das tust, so kann er nicht anders, er muß innehalten und zu dir sagen: »Liebes Herz! Tu ich Euch weh? Habt Ihr Unlust an der Lust, deren ich genieße?« Und dann sagst du zu ihm: »Liebes Alterchen, ich möchte wohl ...« – »Was denn?« Da miaust du aber nur, und schließlich gibst du ihm halb mit Worten und halb durch Zeichen zu verstehen, du möchtest gern nach Art der Gianetta eine Lanze brechen.

Pippa: Ah! verlaßt Euch drauf: jetzt weiß ich schon, worauf Ihr hinauswollt.

Nanna: Wenn dir deine Phantasie eingibt, was du zu machen hast – aber so, wie ich gern möchte, daß du's machst – so mach es dir in der Gemächlichkeit bequem. Und wenn du bequem sitzest, so schlinge ihm die Arme um den Hals und gib ihm zehn Küsse hintereinander. Dann nimm seinen Stengel in die Hand und drück ihn so lange, bis er zuletzt ganz wild wird. Und wenn er ganz Feuer und Flamme ist, so schieb ihn in die Radnabe hinein, und presse dich, all, was du kannst, gegen ihn an, und dann bleib still. Nach einer Weile seufze, wie wenn du fertig werden solltest, und sage: »Wenn's mir kommt, laßt

Ihr's auch kommen?« Der Hengst wird mit halberstickter Stimme antworten: »Ja, meine Hoffnung!« Dann tust du, wie wenn sein Pflock 'ne Handspeiche wäre und dein Loch ein Rad, an der Stelle, wo es sich dreht, und beginnst dich herumzudrehen. Und wenn du ihm anmerkst, daß es ihm kommt, so halt ihn zurück und sage: »Noch nicht, mein Leben!« und stoß ihm deine Zunge in den Mund, nimm dich aber dabei in acht, daß der Schlüssel nicht aus dem Schlüsselloch herausschlüpft; dann stoße zu, zieh dich zurück, stoß wieder jetzt leise, jetzt stark, greif ihn an mit Hieb und Stoß und bearbeite ihn wie eine rechte Paladine. Um es kurz zu machen: Ich möchte, daß du bei dieser Arbeit alle jenen kleinen Körperverdrehungen machst, die man an einem Ballschläger beobachtet. Mit dem Ball in der Hand bewegt er kunstvoll den Oberkörper hin und her, tut, als ob er bald hierhin, bald dorthin laufen wolle, und benimmt sich die ganze Zeit über so listig, daß die Gegenspieler ihn nicht hindern können, schließlich den Ball nach seinem Belieben zu schlagen.

Pippa: Ihr ermahnt mich zuerst zu anständigem Benehmen, und nachher bringt Ihr mir die maßlosesten Rüdigkeiten bei!

Nanna: Dabei bleibe ich vollkommen bei meiner Aufgabe, denn ich wünsche, daß du im Bette eine ebenso vollkommene Hure seist wie anderswo eine feinerzogene Dame. Gib dir Mühe, daß sich keine Liebkosung erdenken läßt, die du nicht deinem Bettgenossen machen würdest; sei immer aufmerksam und bei der Hand und kratze ihn, wo's ihn juckt. Hahaha! [...]

Nicolas de Troyes

Von einer jungen Braut, der ein Drescher die Lektion immer wiederholte, damit sie am Hochzeitstage ihre Sache gut verstünde

In der Nähe von Troyes, in einem Ort namens Breene, in der Champagne, lebte ein ehrbarer Mann, der hatte ein Gasthaus und eine Herberge und hatte ein junges, schönes Zimmermädchen, die war flink und geschickt und wußte wohl, was sie wollte. Sie regierte das Haus und hieß Nicole. Und kein Brot wurde verkauft, kein Wein wurde verschenkt, noch sonst etwas, das nicht erst durch ihre Hände ging. Und nun müßt ihr wissen, daß es in dem Hause viele Diener gab, die nur dann Wein tranken, wenn sie ihn stahlen, denn nach der Sitte des Landes trinken Diener und Knechte kaum. Nun war unter diesen Knechten ein Drescher, ein guter Gesell, der hieß Jacquinot und trank seinen Wein, nicht mehr als die anderen, und war ein wenig verliebt in das schöne Kammermädchen, das das ganze Haus regierte, wie ich euch schon gesagt habe. Aber noch mehrere Burschen in Breene liebten sie, denn sie war schön, und ihre Eltern, Vater und Mutter, und Freunde versprachen sie einem jungen Manne, der sie auch sehr liebte, und alles ging gut, und die beiden wurden einander verlobt. Da war Jacquinot, der Drescher, sehr betrübt, als er hörte, daß sie verlobt war, aber er konnte nichts dagegen tun.

Einige Zeit nach der Verlobung saßen Jacquinot, der Drescher, und die schöne Nicole zusammen und redeten über allerlei Dinge. Da sagte Jacquinot zu Nicole: »Wie dumm bist du gewesen, dich zu verloben, ich bin ganz traurig darüber. Weißt du denn auch, was dir alles bevorsteht mit deinem Manne? Mühe und Kummer wirst du nur mit ihm haben. Glaubst du denn, er würde dich lieben, wenn er erkennt, welch törichtes Weib du bist? Du weißt ja gar nicht, wie du dich mit ihm verhalten sollst, denn nie warst du mit einem Manne zusammen; du weißt gar nicht, wie man mit einem Manne umgehen muß, und du willst dich verheiraten? Alle Tage wird er dich schlagen, und du wirst die Schläge nicht ertragen können und wirst vor der Zeit sterben. Ich weiß nicht, wer dir dazu geraten hat, es war sicher ein törichter Mensch, und das tut mir leid, denn ich habe dich gerne und kenne dich nun schon lange und möchte nicht, daß du mehr Kummer hättest als ich, denn hätte ich dich nie gekannt, würde ich jetzt nicht so betrübt sein.«

Als Nicole all dies gehört hatte, sagte sie: »Ich bitte dich, Jacquinot, wenn du etwas weißt, das ich mit meinem Gatten gut machen muß um Frieden mit ihm zu halten, sage es mir. Denn ich merke wohl, daß du mein Bestes willst und meine Ehre liebst; und deshalb bitte ich dich sehr, lieber Freund, rate mir.«

Da sagte Jacquinot: »Nun, Nicole, meine liebe Freundin, wenn du die erste Nacht bei ihm liegst, was wirst du dann tun? Was mußt du tun, damit er dich liebt?«

»Bei Gott, sagte sie, »das weiß ich nicht!«

»Ah!« sagte er, »das ist der Punkt, um den Streit zwischen euch ausbrechen wird, um den er dich schlagen wird.«

»Und was muß ich denn tun, um seine Liebe zu gewinnen?«

»Beim heiligen Johann, ich muß dir zeigen, was du tun und wie du dich anstellen mußt, und ich muß dir die Lektion auch oft wiederholen.«

»Und ich bitte dich«, sagte Nicole, »daß du mir das zeigst und mir die Lektion wiederholst, und bei Gott«, sagte sie, »alle Tage sollst du Wein von mir bekommen.«

»Zum Teufel,« sagte Jacquinot, »das zeigt man nicht ohne Geld, denn es zu zeigen, ist gar mühevoll und es zu wiederholen noch mehr, und ich sage dir, daß ich es auch nicht umsonst gelernt habe. Aber wenn du mir noch etwas Geld dazu gibst, will ich es dir wohl zeigen, und du sollst es gut lernen.«

»Meiner Treu, lieber Freund«, sagte da Nicole, »ich habe nicht viel Geld, aber das wenige, was ich habe, sollst du bekommen, das verspreche ich dir, damit du mir hierfür die Lektion wiederholst und ich Frieden mit meinem Manne habe.«

»Nun«, sagte Jacquinot, »wieviel Geld hast du denn?«

»Ich habe«, sagte sie, »hundert Soldi, mehr kann ich dir nicht geben, aber ich verspreche dir, daß du zu jeder

Mahlzeit, zum Frühstück, Mittagessen, Vesperbrot und Abendessen einen Becher voll guten Weines bekommen sollst, wenn du mir diesen Dienst erweisen willst.«

Da merkte Jacquinot, daß sie wohl auf alles einging, und er fing an zu handeln und machte alles mit ihr aus; und er nahm die hundert Soldi und sagte zu ihr: »Weißt du, Nicole, um dir die Lektion ordentlich zu wiederholen, darf kein anderer zugegen sein, denn bei so etwas kann man keine Zeugen gebrauchen; wir wollen auf den Heuboden gehen, und da will ich dir alles zeigen.«

Und die beiden gingen auf den Heuboden; dann fing Jacquinot an und zeigte ihr alles und machte es so schön und fein, daß sie vermeinte, nie im Leben Angenehmeres gefühlt zu haben, und zeigte ihr alles, damit sie es genau lerne, und sagte zu ihr: »Meine liebe Nicole, merke dir dies: Stoße ich einmal zu, dann stoße du zweimal und arbeite tüchtig, sei nicht lässig und bewege dich, heb das Kreuz, daß ein gezäumter und gesattelter Hase drunter durchlaufen kann, so wirst du es gut lernen.«

Und Nicole merkte gut auf, und Jacquinot war sehr zufrieden; dann trennten sie sich nach dieser ersten Zusammenkunft, und ihr sollt auch wissen, daß Nicole ihr Versprechen hielt, denn sie gab Jacquinot zu allen Mahlzeiten Wein; er aber wiederholte ihr auch um so besser die Lektion. Und um die Sache ordentlich zu verstehen, wollte das Mädchen die Sache so oft wiederholt haben, daß der arme Jacquinot nur mit Mühe und unter großen Anstrengungen ihr zu Willen sein konnte. Denn sobald sie merkte, daß sie allein mit ihm im Hause war, ging sie, ihn zu holen, damit er ihr die Lektion noch einmal wiederhole. Und so lange wurde wiederholt, bis der Hochzeitstag herankam.

Morgen sollte die Hochzeit sein. Es mochten aber wohl schon sieben Monate seit der ersten Lektion verstrichen sein, und ich sage euch, daß sie ihre Sache sehr gut verstand, denn sie hatte sie oft wiederholt. Nun kam der Abend vor der Hochzeit, und Nicole sagte zu Jacquinot, er solle es ihr noch einmal zeigen, damit sie es am folgenden Tage genau wüßte und ihr Gatte mit ihr auch ganz zufrieden sei. – »Wie«, sagte Jacquinot, »soll ich es denn ewig tun? Nicole, ich sage dir, ich bin es satt.«

»Bei allen Heiligen«, sagte Nicole, »du mußt es mir noch einmal zeigen, denn all mein Geld habe ich dir gegeben, und jeden Tag hast du guten Wein bekommen, doch nur, damit du es mir immer wieder zeigst.«

»Ah, zum Teufel, das wiederholt man nicht so oft, wie man will. Das beste Pferd wird dabei widerspenstig.«

Aber er zeigte es ihr noch einmal; dann, am folgenden Tage, am Tage der Hochzeit, ein wenig nur vor dem Abendessen, ging Nicole beiseite und suchte Jacquinot.

»Ach«, sagte sie, »Jacquinot, bald ist die Stunde da, wo wir aufbrechen, ich bitte dich, sosehr ich nur kann, zeige es mir jetzt noch einmal, damit ich meine Sache gut verstehe, wenn ich bei meinem Manne liege, und dann soll es auch das letzte Mal sein mit dir.«

Und Jacquinot zeigte es ihr noch einmal so gut, daß Nicole ganz zufrieden war. Dann gingen beide zum Hochzeitsmahl. Nachdem man gegessen und ein wenig getanzt hatte, wollte man die junge Frau zu Bett bringen; man tat es, und es geschah nicht ohne Lachen und allerlei Witze, und man sagte ihr auch, wie sie nun alles machen müßte. Aber sie wußte das zufällig besser als irgendeine aus der Gesellschaft. Dann kam der Gatte, um bei seiner Frau zu schlafen, und sofort machte er sich an die Arbeit. Er arbeitete sicher und fest, und seine junge Frau machte es wohl noch besser als er. Und wer da erstaunt war? Das war der Mann, und das wohl mit Recht, denn seine Frau war zu geschickt. Da sagte der Mann zu seiner Frau: Ha, meine Liebe, du kennst die Sache aber sehr genau, wer hat dich denn all dies gelehrt?«

»Ah, zum Teufel«, sagte sie, »umsonst habe ich das nicht gelernt. Das zu lernen hat mich hundert Soldi gekostet.«

Dann erzählte sie ihm alles, Punkt für Punkt, und sagte ihm, daß sie es gelernt, um ihm dienlich zu sein, damit er sie mehr liebe und nicht schlüge. Und sie erzählte ihm alles, was Jacquinot mit ihr die ganze Zeit hindurch gemacht hatte, wenigstens einen Teil davon. Und wer nun wieder erstaunt war? Das war der Mann. Er legte sich an das andere Ende des Bettes, ohne seine Frau zu berühren, und schlief bis zum Morgen. Und als der Morgen kam, da stand er auf, war ganz bekümmert und traurig und erzählte die Sache dem Vater und der Mutter der jungen Frau, die beide auch sehr betrübt und traurig waren, als sie erfuhren, was ihre Tochter getan hatte. Jacquinot wurde geholt; der kam auch, denn er dachte an nichts Böses; dann sagten sie ihm, was er mit ihrer Tochter gemacht und schlugen ihn; er aber konnte entschlüpfen und eilte davon. Aber nie wieder kehrte er in das Haus zurück. Und die Sache wurde im ganzen Dorfe bekannt und kam auch dem Grafen von Breene zu Ohren. Der aber lachte sehr und ließ Jacquinot zu sich kommen und sprach mit ihm, um die Wahrheit zu erfahren. Und dieser erzählte ihm alles und noch mehr.

»Bei Gott, gnädiger Herr«, sagte er, »ich wußte am Ende nicht mehr, wie ich es anstellen sollte. Immer wieder holte sie mich, um es ihr noch einmal zu zeigen; einmal mußte ich es ihr achtmal an einem Tage zeigen, und da kann man sich nicht wundern, daß sie die Sache gut verstand, und ich meine, daß ihr Mann gar nicht so sehr erzürnt zu sein braucht, denn er fand den Weg schon gut offen.«

Da lachte der Graf und schickte Jacquinot fort und sagte ihm, er wäre ein braver Bursch. Und der junge Mann blieb bei seiner Frau, die die Sache so gut verstand. Gott sei Dank, und er war auch gar nicht böse auf sie, denn das arme Mädchen hatte es doch nur getan, um ihm einen Dienst zu erweisen, damit er zufrieden mit ihr wäre. Aber ganz zufrieden war er doch nicht damit; doch was sollte er machen? Ich versichere euch, daß diese Geschichte sich zu Breene im Jahre 1535, im Monat Mai, zutrug.

Pietro Fortini

Ein Lämmchen, von einem Maler seiner Frau auf den Leib gemalt, wird von dieser in einen Schafbock verwandelt

Vor noch nicht langer Zeit kam in unsere Stadt Siena ein Florentiner, der das Malerhandwerk ausübte. Seine schöne, anmutige Frau, die er sehr liebte und eifersüchtig überwachte, begleitete ihn. Und weil sie zum Anbeißen hübsch war, ließ er sie nicht von seiner Seite.

Der Florentiner tat sich in der Malergilde um, ob er nicht eine Arbeit fände, und da, wie ihr wißt, im hiesigen Handwerk der Brotneid herrscht, fand er bald einen Meister, der lieber ihn, den Fremden, als einen Einheimischen beschäftigen wollte. Der Florentiner mietete ein schmukkes kleines Haus und richtete es wohnlich ein. Und da es Arbeit genug für ihn gab, beschloß er, sich mehrere Jahre in Siena aufzuhalten.

Wenn der Maler in der Werkstatt seines Meisters arbeitete, mußte er seine Frau den ganzen Tag allein zu Hause lassen. Das ging nicht ohne Mißtrauen ab. Doch beruhigte sich der Tor damit, daß die Frau hier fremd wäre und noch keine Bekanntschaften hätte. Er dachte nicht daran, daß die hiesigen jungen Männer in jeder Fremden eine Göttin sehen und daß sie sogar einem als Frau verkleideten Affen nachlaufen würden.

Nachdem unser Maler schon sechs oder acht Monate erfolgreich in Siena gearbeitet und mit vielen Edelleuten Freundschaft geschlossen hatte, hielt er sich für den ersten Künstler der Toskana. Er trennte sich von seinem Meister und eröffnete, um noch bessere Geschäfte zu machen, eine kleine Werkstatt auf eigene Rechnung. Bald darauf winkte ihm ein gewinnversprechender Auftrag, eine Arbeit außerhalb von Siena. Da er glaubte, daß er seine Frau an den Ort der Ausführung mitnehmen könnte, griff er unbedenklich zu. Als der Vertrag aufgesetzt wurde, ließ er hineinschreiben, daß er ein Zimmer für sich und seine Frau erhalten werde. Weiter stand in dem Vertrag, daß er die Arbeit bis zu einem bestimmten Termin beendigt haben müsse, widrigenfalls er 50 Scudi Strafe zu zahlen habe.

Erst nachdem der Maler diese Verpflichtung eingegangen war, besichtigte er den Ort, wo er zu malen hatte. Er entdeckte, daß die Gefahr größer wäre, wenn er seine Frau dorthin mitnähme, als wenn er sie in Siena zurückließe. Das Dorf wimmelte von jungen Städtern, die sich dort teils zum Vergnügen, teils in Geschäften aufhielten, teils weil sie infolge ihrer Feindschaften nicht ungefährdet in Siena bleiben konnten. Das mißfiel dem Maler sehr, und er hätte am liebsten auf die schöne Arbeit verzichtet.

Überdies befand sich neben dem Haus, in welchem er wohnen sollte, ein Kloster der Mönche des heiligen Augustin, so daß er gar keine Möglichkeit sah, seine Frau vor

Anfechtungen zu bewahren; denn die Mönche, die schlimmer sind als die Soldatenknechte, flößten dem Eifersüchtigen größeren Schrecken ein als all die anderen jungen Männer.

Aber der Maler sah ein, daß er die Arbeit nicht aufgeben und den Vertrag nicht brechen konnte, und so entschloß er sich schweren Herzens, seine Frau in Siena zu lassen. Und da die Zeit des Arbeitsbeginnes herankam, versah er das Haus und die Frau aufs beste, gab ihr noch obendrein 50 Scudi, damit sie es nicht nötig haben sollte, sich für Geld hinzugeben, und warb eine arme Nachbarin für alle häuslichen Dienste an. Dann befahl er seiner Frau, bis zu seiner Rückkehr niemals das Haus zu verlassen.

»Sei überzeugt«, so sagte er ihr, »daß ich in drei Monaten die Arbeit vollendet haben und einen Beutel voll Geld mitbringen werde. Und wenn ich irgend kann, besuche ich dich mindestens einmal im Monat.«

Die Frau fand es einerseits hart, daß der Mann sie auf so lange Zeit verließ, andererseits – und dieses Gefühl gewann die Oberhand – freute sie sich, einmal ohne den Eifersüchtigen zu sein, der immer in alle Winkel spähte und sie beobachtete, als ob sie eine Dirne wäre. Doch da sie klug war, tat sie, als wäre ihr die Trennung schmerzlich, und preßte sich einige Krokodilstränen ab. Sie beschwor den Gatten, bald zurückzukehren und auf seine Gesundheit zu achten.

»Laßt Euch«, so mahnte sie, »nicht mit irgendeinem schlechten Frauenzimmer ein, damit Ihr Euch nicht die Franzosenkrankheit holt!«

Und so führte sie tausend Komödien auf.

Schließlich, nach vielem Reden, sagte der Maler, der doch noch nicht von seiner Eifersucht ablassen wollte:

»Liebe Frau, ich möchte, daß du mir, bevor ich fortgehe, einen Gefallen tätest. Ich bin überzeugt, daß es bei dir nicht not tut; es geschieht nur, um mich von meinem Argwohn zu befreien.«

Die Frau meinte, er wolle zum Abschied noch einmal bei ihr liegen, und um ihn recht schnell loszuwerden, erwiderte sie:

»Macht, was Ihr wollt: Ich bin's zufrieden.«

Aber der Eifersüchtige hatte etwas anderes im Sinn, und nachdem er lange herumgedruckst hatte, rückte er endlich mit seinem Einfall heraus.

»Wisse, liebe Frau«, so sagte er, »daß dein schöner Venusberg, auf dem kein einziges Härchen wächst, was eine große Seltenheit ist, meine Unruhe und Eifersucht verursacht, abgesehen von deinen übrigen Reizen. Daher möchte ich auf diesen Hügeln ein Lämmchen malen, weil das ein sanftes und friedfertiges Tier ist. Und ich will, daß es bis zu meiner Rückkehr an dieser Stelle bleibe. Denn gesetzt, du würdest von dieser Gegend noch einen anderen Gebrauch machen als den deiner Notdurft, so würde das Lämmchen ein sicherer Zeuge deiner Verirrungen sein. Käme der Wolf und sähe es, so würde er es fressen; käme er aber nicht, so würde ich es sanft, wie ich es verlassen, wiederfinden.«

Die Frau, die bisher noch nie die eheliche Treuepflicht verletzt hatte und der Verdächtigungen überdrüssig war, willigte, wenn auch widerstrebend, ein und sagte:

»Tut, was Euch beliebt. Genügt es Euch nicht, einen Hammel hinzumalen, so malt einen Stier. Aber macht ihn so, daß der Schweiß oder die Kleider ihn nicht verderben und Ihr dann nicht annehmt, ich sei eine Dirne.«

Da antwortete der Eifersüchtige:

»Ich werde es schon so machen, daß es nicht weggeht, wenn man es nicht wegschickt.«

Und er malte nach vielem Hin und Her ein Lämmchen auf den kleinen Hügel, der sich aus einem tiefen Tal erhob.

Ungeachtet dieser Vorsichtsmaßnahme machte sich der Maler nicht ohne Argwohn auf den Weg. Und als er an seinem Arbeitsort weilte, fühlte er sich infolge seines Mißtrauens sehr unbehaglich. Er hatte mit seinen Befürchtungen nicht unrecht, denn gerade durch seine Verschrobenheit war in der Frau der Wunsch erwacht, ihm ein Schnippchen zu schlagen und ihn gehörig zu betrügen.

Er war noch keine zwei Wochen fort, als ein Jüngling, der sich schon kurz nach der Ankunft des Ehepaares in Siena in die Frau verliebt hatte und um sie herumgestrichen war, die Gelegenheit nutzte, ihr mit noch größerem Eifer als bisher den Hof zu machen. Als sich die junge Frau von dem stattlichen Jüngling so heiß geliebt sah, mußte sie oft an ihn denken; sie rechnete nach, wie lange ihr Gatte nicht mehr bei ihr gelegen hatte, vergegenwärtigte sich die sonderbare Behandlung, die ihr von ihm zuteil geworden war, und begann sich gleichfalls der Liebe zu öffnen. Und da sie in der jugendlichen Brust das

Stechen des scharfen Pfeiles und im Herzen die schwere Wunde fühlte, die ihr die Eifersucht ihres Gatten geschlagen hatte, schaute sie dem Jüngling nach und fing an, ihn durch liebreiche Blicke zu entzücken.

Das Schicksal wollte, daß der junge Mann eines Abends in der Dämmerung am Haus der Angebeteten vorüberging und sie im Hausflur bei irgendeiner Verrichtung sah. Er näherte sich ihr aufs höflichste, und sie zog sich nicht zurück. Nachdem er sie mit ein paar wohlgesetzten Worten und tiefen Seufzern begrüßt hatte, fragte er:

»Wann wird die Stunde kommen, da ich Euch endlich meine Liebe entdecken darf?«

Die Frau, die schon im gleichen Schritt mit ihm im Joch ging, sagte, da es ihr genug des Wartens schien:

»Ich stehe zu Euren Diensten und Eurem Befehl.«

Als der Jüngling diesen gütigen Empfang vernahm, erwiderte er:

»Wisset, Madonna, daß Eure Reize mich zwingen, Euch zu lieben. Daher werdet Ihr mir verzeihen, daß ich weitergegangen bin, als Euch schicklich erscheinen mag.«

Die Frau sah ihn mit funkelnden Augen an, wagte aber nicht zu sprechen. Der Jüngling trat keck ins Haus. Das Weibchen schlug keinen Lärm, sondern schloß rasch die Tür von innen zu.

Als sie nun mit dem jungen Mann allein war, bekannte ihr dieser mit vielen artigen Reden seine Liebe und konnte kein Ende finden, seine Dame zu preisen. Wie ihr euch vorstellen könnt, zitterte sie vor Freude, und nachdem manches Wort gewechselt worden war, faßte sich der

Jüngling, der wohl wußte, wie man sich den Frauen gegenüber verhalten muß, ein Herz und begann, ohne zu fragen, das ausdrucksvolle Spiel der Hände, wie jeder gute Liebhaber es tun muß. Ihrerseits dem Brauch folgend, stellte sich die Frau, als wollte sie ihm nicht willfährig sein.

»Haltet ein!« rief sie. »Alles will ich Euch zu Gefallen tun, nur dieses eine nicht, nein, nein!«

Der Jüngling, der wußte, daß sie sich nur mit der Zunge verteidigte, umarmte sie mit großer Wonne, küßte sie auf den zarten Mund und auf die blendenden festen Brüste, die wie zwei wohlgeformte Äpfel aussahen. Ihr Antlitz war von der Natur mit solcher Meisterschaft gemacht, daß es das härteste Herz zur Liebe gezwungen hätte, ihre Gestalt war geschmeidig, ihr Blick hell, ihre Sprache süß, und ihr Herz brannte lichterloh vor Liebe zu dem Jüngling. Und so waren sie beide glücklich und sprachen, während die junge Frau nicht mit Küssen kargte, eine gute Welle miteinander.

Dann führte die Frau, damit das Liebesspiel bequemer vonstatten gehen könne, den Jüngling in die Kammer, wo sie und ihr Mann zu schlafen pflegten. Dort legte der Jüngling das Weibchen nach vielen Liebesworten auf das Bett und begann das süße Spiel von neuem. Und nachdem sie zu ihrer höchsten Wonne die dritte Lanze gebrochen hatten, belustigten sie sich aufs beste miteinander. Doch die ersten Attacken vermochten die Liebesglut des jungen Mannes nicht zu kühlen. In seiner Seligkeit kam es ihm vor, als umarmte er ein zwölfjähriges Mädchen; denn genau wie ein solches fühlte sie sich an, da sie kein einziges Härchen an ihrem Körper hatte. Sie war in der Blüte ihrer Schönheit und hatte noch nie ein Kind gehabt.

Sie brachten die ganze Nacht in Scherz und Wonne hin, und bevor es Tag wurde, verabredeten sie weitere Zusammenkünfte. Dann verließ der Jüngling seine Dame, um nicht von den Nachbarn gesehen zu werden. Auf diese Weise ergötzten sie sich allnächtlich, während der eifersüchtige Gatte fern von der Stadt weilte.

Dieser verschob seinen Besuch immer von heute auf morgen und arbeitete Tag und Nacht, um nur ja recht schnell fertig zu werden. Und als nun mehr als zwei Monate vergangen waren, erinnerte sich die Frau der Schrulle ihres Mannes, und es erschien ihr plötzlich, als stünde der Tag seiner Rückkehr schon bevor. Sie verwünschte ihre Vergeßlichkeit und sah verzagt nach dem gemalten Lämmchen, und da sie es nicht mehr fand, sondern nur noch geringe Spuren der Malerei entdecken konnte, glaubte sie, sie sei des Todes.

Am Abend fand der Jüngling seine Dame nicht so guter Dinge wie sonst. Doch sie, die ihn mehr liebte als sich selber, verheimlichte ihm nichts. Unter Klagen und Tränen erzählte sie ihm die ganze maßlose Torheit des eifersüchtigen Narren und zeigte ihm die Stelle, wo das Lämmchen geweidet hatte.

»Weh' mir Unglücklicher!« rief sie. »Der tolle Eifersüchtige kann vielleicht morgen oder übermorgen zurückkehren, und wenn er dann das Bildchen verdorben findet, wird er mich umbringen, denn bei ihm verfängt keine Ausrede.«

Der Jüngling tröstete sie und sagte:

»Grämt Euch nicht! Glücklicherweise werde ich den Widder ebensogut malen können wie Euer Gatte.«

Er beruhigte die Verzagte vollkommen, und die beiden überließen sich dem gewohnten Liebesgenuß.

Als der Morgen nicht mehr fern war, fragte der Jüngling, wo der Gatte seine Farben und sein Malgerät aufbewahre. Das Glück wollte, daß die Frau das kleine Gefäß mit der Farbe fand, die der Eifersüchtige zu dem besagten Zweck benutzt hatte und in der sogar noch der Pinsel steckte. Die Farbe war mit Nuß- und Leinensamenöl, vermischt mit ein wenig Erdöl, angemacht. Der Jüngling war einer der gebildeten, feinen Köpfe von Siena: er war in den Wissenschaften erfahren und ein guter Musiker, dazu ein vortrefflicher Bildhauer und untadeliger Zeichner. Er nahm das kleine Gefäß mit der Farbe zur Hand, entfernte von der Oberfläche eine gewisse trockene Schicht, die ein sehr feines Häutchen gebildet hatte, wusch den Pinsel mit dem Öl der Handlampe und legte dann das Weibchen so zurecht, daß er ihm das verschwundene Bildchen wieder hinmalen konnte. In kurzer Zeit schuf der wackere Jüngling an derselben Stelle das schönste Schafböcklein, das je gemalt worden war, und das aussah, als wäre es lebendig. Es war ihm viel schöner geraten als das Lämmchen, das der Maler gemacht hatte, und wer es mit seinen kleinen Hörnern gesehen hätte, wäre sehr erstaunt gewesen; denn jeder hätte es für das Werk eines erfahrenen Meisters gehalten, und der Gatte hätte es so gut nicht machen können.

Der Jüngling verabschiedete sich noch vor Tagesanbruch und ließ die junge Frau hochbefriedigt zurück. Ihr schien es, als sei es dasselbe Bildchen, das ihr Mann zurückgelassen hatte, und so erwartete sie ihn in aller Ruhe. Der Maler kehrte jedoch an diesem Tag noch nicht heim, und so erschien denn am Abend der Jüngling zum gewohnten Spiel. Und da der Widder frisch gemalt, konnten sie sich nicht auf dieselbe Weise wie sonst vergnügen; der Jüngling fand aber einen anderen Weg, auf dem er ohne Unbequemlichkeit zum Ziel gelangte. Sie genossen einander mit Wonne und Entzücken die ganze Nacht, und bevor der Jüngling wegging, verabredeten sie für den Fall, daß der Gatte zurückkehren sollte, ein geheimes Stelldichein.

Der Tag war noch nicht halb vorbei, als der Eifersüchtige eintraf. Die Frau empfing ihn mit geheuchelter Freude und umarmte und küßte ihn, als hätte sie ihn tausend Jahre nicht gesehen, und er tat desgleichen. Nachdem er sich ein wenig von der Reise erholt hatte, rief er seine Frau zu sich in die Kammer. Sie glaubte, er wolle ihr ein gutes Willkommen bieten und lief erwartungsvoll zu ihm. Er aber warf sie aufs Bett, hob ihr die Kleider hoch und schaute nach, ob das Lämmchen abgeschabt sei oder wie es sonst damit stehe. Als er sah, daß ein Widder daraus geworden war, verfiel er in Grübelei und sagte ganz verwirrt:

»Ich sah nach dem Lamm, das ich gemalt hatte, und finde einen Schafbock. Mich deucht, ich hatte es ohne Hörner gemalt, aber ich finde es mit Hörnern wieder. Ich weiß nicht, was das zu bedeuten hat.«

Da antwortete die Frau, ohne im geringsten die Farbe zu wechseln:

»Darüber braucht Ihr Euch nicht zu grämen. Zeigt mir das Lamm, das nach drei Monaten noch keine Hörner hat! Ihr habt mich so lange warten lassen, daß ich mich wundere, daß sie nicht größer sind. Sind mir doch die drei Monate wie dreitausend Jahre vorgekommen.«

Auf diese Weise verdrehte sie ihrem Gatten mit scherzhaften Worten vollends den Kopf. Der Tölpel fand aus dem Erstaunen nicht heraus: denn abgesehen von den Hörnern schien alles sein Werk, und er entsann sich nicht genau, ob er die Hörner gemalt hatte oder nicht. Und da ja die Malerei nicht beschädigt war, sondern in makelloser Frische glänzte, gab er sich schließlich zufrieden und glaubte selber daran, daß er der Schöpfer des Widders sei.

Der Erfolg machte die junge Frau kühn; und sie bemühte sich, die Hörner des öfteren zu vergrößern. Ungestört empfing sie ihren Liebhaber zum Liebeskampf und Zeitvertreib. Lange Zeit fanden sich die beiden Liebenden zusammen, und nie bemerkte der Gatte, daß er betrogen wurde.

John Cleland

Die Memoiren der Fanny Hill

Ich öffnete also leise die Tür in die Hinterstube und erblickte zu meinem Erstaunen neben einem halberloschenen Kaminfeuer einen jungen Herrn im Armstuhl der alten Dame, mit übereinandergeschlagenen Beinen und tief schlafend. Seine Freunde hatten ihn betrunken gemacht und hier zurückgelassen; jeder war mit seiner Geliebten davongegangen, nur er blieb allein zurück, da die Alte ihn nicht wecken und in diesem seinem betrunkenen Zustand nachts um eins aus dem Hause lassen wollte. Die Betten waren wahrscheinlich alle besetzt gewesen; auf dem Tische standen noch die Punschbowle und die Gläser herum, wie es bei trunkenen Nachtgelagen auszusehen pflegt.

Als ich leise näher trat, welch ein Anblick bot sich mir da! Keine Jahre und keine Schicksale könnten den Eindruck aus meiner Seele löschen, den ich da erhielt; ja, du süßester Gegenstand meiner ersten Leidenschaft, immerdar schwebt die Erinnerung deines Anblicks vor meinen entzückten Augen!

Stellen Sie sich ihn vor, Madame: einen schönen Jüngling

zwischen achtzehn und neunzehn, den Kopf leicht auf die eine Seite des Stuhles gelehnt, das Haar in unordentlichen Locken, das Gesicht halb beschattend, auf dem sich die rosige Blüte der Jugend mit aller männlichen Grazie und Kraft vereinigten, meine Augen und mein Herz ganz gefangenzunehmen. Selbst die Ermüdung und die Blässe gaben seinem Gesichte eine unaussprechliche Süßigkeit; seine Augen bedeckten die sanftesten Wimpern, und kein Pinsel hätte regelmäßigere Bogen über sie ziehen können als die seiner Brauen. Vollkommen weiß war seine Stirn, und seine Lippen waren rot und dem Kusse entgegenschwellend. Hätten nicht Scham und Achtung, die in beiden Geschlechtern immer bei wahrer Leidenschaft sind, meine Triebe zurückgehalten, ich hätte den Mund geküßt.

Als ich aber den aufgeknöpften Hemdkragen und die schneeweiße Brust sah, konnte ich mich nicht abhalten, für seine Gesundheit zu sorgen; mit zitternder Hand faßte ich die seine und weckte ihn auf, so sanft, wie ich nur konnte. Erst sah er verwirrt umher und fuhr in die Höhe; und dann sprach er mit einer Stimme, die mir ans Herz drang: »Ich bitte dich, liebes Kind, sag mir, was die Uhr ist?« Ich sagte ihm die Zeit und fügte noch hinzu, er könnte sich erkälten, wenn er länger in der Morgenkühle so mit offener Brust schliefe. Er dankte mir mit lieben Worten, die ganz mit dem Ausdruck seiner Augen übereinstimmten, diesen Augen, die jetzt weit offen waren, mich lebhaft anblickten und mit Feuer durchdrangen, das aus ihnen leuchtete.

Es schien, als ob er, weil er zuviel getrunken hatte, nicht

imstande gewesen sei, mit seinen Freunden mitzutun und die Nacht mit einem Mädchen zu beschließen; so dachte er wohl, da er mich im losen Negligé sah, nicht anders, als daß ich ein Mädchen des Hauses wäre, das hereingeschickt worden sei, das Unterlassene nachzuholen, was ich ganz selbstverständlich fand. Doch redete er mich durchaus nicht gewöhnlich und grob an, und das vielleicht aus Höflichkeit oder weil ich ihm einen mehr als gewöhnlichen Eindruck machte, aber doch immer wohl den eines Hausmöbels, das zu seinem Vergnügen da wäre; und indem er mir einen Kuß gab – den ersten, den ich je von einem Mann empfing, fragte er mich, ob ich ihm Gesellschaft leisten wolle, und sagte, daß es mich nicht gereuen sollte. Hätte sich auch meine eben geborene Liebe und Lust einer so schnellen Ergebung gar nicht widersetzt, so tat es doch die Furcht, von jemandem aus dem Hause überrascht zu werden.

Ich sagte ihm daher in einem Tone, der meine Verliebtheit wohl merken ließ, daß ich aus Gründen, die jetzt zu erzählen keine Zeit wäre, nicht bei ihm bleiben könnte, ja ihn vielleicht nie wiedersehen würde, und ich seufzte bei diesen Worten aus der Tiefe meiner Brust. Mein Eroberer, der, wie er mir später sagte, von meiner Erscheinung verwirrt war und mich so liebgewonnen hatte, wie das bei einer Person der Art, wie ich eine zu sein schien, möglich war, fragte mich lebhaft, ob ich von ihm ausgehalten sein und er sofort eine Wohnung für mich nehmen solle und mich von den Verpflichtungen befreien, die ich, wie er glaubte, gegen das Haus hatte. [...]

Unser Plan ging dahin, daß ich mich am nächsten Morgen um sieben Uhr wegstehlen sollte – was ich sofort versprach, da ich wußte, wo ich den Hausschlüssel bekommen konnte –, und er wollte dann am Ende der Straße mit einer Kutsche auf mich warten, die mich an einen sichern Ort bringen sollte; dann wollte er zu Madame Brown schicken und ihr die Kosten meines Aufenthalts bezahlen; er glaubte, daß sie sich nicht viel um den Verlust eines Mädchens kümmern würde, das nur da wäre, um Kunden ins Haus zu locken. [...]

Wie ich zu ihm kam, weiß ich nicht – ich glaube, ich flog! In einer Sekunde war ich im Wagen und der Geliebte neben mir, und er schlang die Arme um mich und küßte mich, während der Kutscher davonfuhr.

Ich weinte Freudentränen. Mich in den Armen dieses schönen Jünglings zu fühlen war ein Entzücken, das über die Kraft meines kleinen Herzens ging. Vergangenheit und Zukunft waren vergessen. Das Gegenwärtige zu tragen, das war alles, was meine Kräfte gerade noch aushalten konnten. Von seiner Seite fehlte es nicht an den zärtlichsten Umarmungen und den süßesten Worten, daß ich seiner Liebe sicher sein solle und daß er mir keine Gelegenheit geben werde, den kühnen Schritt zu bereuen, den ich getan, da ich mich ihm ganz auf Ehre und Großmut ergeben hätte. Aber das war wahrlich nicht mein Verdienst, denn eine Leidenschaft, die ich nicht unterdrücken konnte, trieb mich zu ihm, und was ich tat, das tat ich, weil ich nicht anders konnte.

In einem Augenblick – so schien es mir – kamen wir bei

einem Logierhaus in Chelsea an, das für Duellpartien der Liebe bequem eingerichtet war; ein Frühstück mit Schokolade stand für uns schon bereit.

Das Haus gehörte einem alten drolligen Kerl, der sich auf das Leben vortrefflich verstand; er frühstückte mit uns, sah mich lustig an und wünschte uns beiden Glück; wir paßten wirklich sehr schön zusammen, sagte er, und daß eine Menge edler Damen und Herren sein Haus besuchten, daß er aber nie ein so hübsches Paar gesehen hätte; auch wäre er überzeugt, ich sei etwas ganz Frisches, ich sähe so ländlich und unschuldig aus – derlei also sprach er noch mehr und dies in dem leichten scherzenden Ton eines Restaurateurs, was mich nicht nur beruhigte und mir gefiel, sondern auch meine Befangenheit vor meinem neuen Geliebten ganz verdrängte. Vor dem Jüngling begann ich mich jetzt zu fürchten, da die Minute heranrückte, in der ich mit ihm allein sein sollte – eine Furcht, an der wahre Liebe größern Anteil hatte als jungfräuliche Schamhaftigkeit.

Es zog mich zu ihm, ich liebte ihn, ja hätte für ihn sterben mögen, und doch fürchtete ich, ich weiß nicht warum, den Augenblick, der mein heißester Wunsch gewesen war. Dieser Widerstreit der Leidenschaften, dieser Kampf zwischen Züchtigkeit und liebeskranker Begier führte dazu, daß ich wieder in Tränen aufging; er aber glaubte, ich weinte über meine veränderte Lage und weil ich mich nun ganz ihm überlassen hätte, und so tat und sprach er alles mögliche, was mich trösten und aufrichten sollte.

Nach dem Frühstück nahm mich Charlie – diesen Namen will ich künftighin meinem teuern Adonis geben – mit einem eigentümlichen Lächeln bei der Hand und sagte: »Komm, Liebste, ich will dir dein Zimmer zeigen, das eine herrliche Aussicht in den Garten hat.« Und ohne die Antwort abzuwarten, was mir sehr lieb war, führte er mich in einen luftigen hellen Raum, in dem an keine Aussicht als an die auf ein Bett zu denken war, das ganz so aussah, als hätte es allein ihm das Zimmer empfohlen.

Charlie hatte schnell die Tür verriegelt, eilte auf mich zu, nahm mich in die Arme, hob mich auf, preßte seine glühenden Lippen auf die meinen und legte mich – zitternd, furchtsam, sterbend vor Begier und Tränen – aufs Bett, wo seine Ungeduld ihm nicht Zeit ließ, mich mehr zu entkleiden, als mein Halstuch aufzulösen, mein Oberkleid und die Schnürbrust.

Mein Busen war jetzt bloß und hob sich unter heftigem Herzschlag; seinen Augen bot sich ein Paar schwellender fester Brüste eines jungen Mädchens, das eben erst frisch vom Lande gekommen und noch unberührt war; aber nicht ihre Weiße, ihre Form und ihre widerstrebende Härte konnten seine Hand festhalten, die frei umherschweifte; meine Röcke und mein Hemd waren bald aufgehoben, und ein stärkerer Anziehungspunkt lag vor ihm; die Angst verursachte, daß ich ganz mechanisch meine Schenkel schloß, aber seine Hand stahl sich hinein, löste sie auseinander und eröffnete den Hauptangriff.

Während alledem lag ich offen, seinen forschenden Augen preisgegeben, ruhig und ohne Widerstand, was ihn in seiner Meinung bestärkte, daß ich kein Neuling in diesen Dingen sei, zumal er mich ja aus einem öffentlichen Hause mitgenommen hatte. Auch hatte ich nichts von meiner Jungfernschaft gesagt; hätte ich es getan, würde er sicher geglaubt haben, ich hielte ihn für einen Narren, der die Unwahrscheinlichkeit glauben sollte, daß ich noch im Besitze des verborgenen Schatzes wäre, nach dem die Männer so gierig aus sind und den sie niemals finden, ohne ihn sofort zu vernichten.

Nun konnte er seine Ungeduld nicht länger meistern; er knöpfte sich auf und führte seinen Liebessturmbock dahin, wo er die Bresche vermeinte. Ich fühlte zum erstenmal jenes steile, mir wie ein Horn erscheinende Werkzeug, das da gegen meine zartesten Teile gezückt wurde. Aber denken Sie sich sein Erstaunen, als er nach verschiedenen herzhaften Angriffen, die mir sehr weh taten, fand, daß er nicht im geringsten vorwärtskam.

Ich jammerte ein bißchen, aber mit aller Zärtlichkeit: »Ich kann's nicht aushalten – Sie tun mir weh!« Er aber dachte, daß meine Jugend und die Stärke jenes Sturmbockes – wenige konnten ihm in diesem Punkte den Rang ablaufen – dieser Schwierigkeit Ursache wären und daß mich wahrscheinlich einer besessen hätte, der nicht so gut beschlagen gewesen wäre wie er; denn daß meine Blume ungebrochen sein sollte, das kam ihm natürlich gar nicht in den Sinn, und er hielt es weder der Zeit noch der Mühe wert, zu fragen.

Er machte einen zweiten Versuch, doch kam er auch dabei nicht weiter; er tat mir schrecklich weh; aber meine

Liebe duldete ohne Seufzen; und aufs neue wiederholte er die vergeblichen Angriffe und fiel schließlich vergehend neben mir aufs Bett, küßte mir die Tränen weg und fragte zärtlich, warum ich klage und ob ich es von anderen leichter ertragen hätte. Ich antwortete mit einer Naivität, die überzeugen mußte, daß er der erste Mann sei, der mir solches antue.

Und Charlie glaubte nun, mußte es ja glauben, daß meine Jungfernschaft keine bloße Verstellung sei, und so beruhigte er mich mit Küssen und bat mich, im Namen der Liebe ein wenig Geduld zu haben, und daß er mir so wenig Leides tun wolle, als er sich selbst tun möchte.

Jetzt fing er seinen Angriff systematischer an, erst legte er ein Kissen unter mich, um seinem Ziele bessere Erhöhung zu geben, und ein anderes unter meinen Kopf, damit er bequem läge; hierauf breitete er meine Schenkel weit aus, und dann legte er die Spitze seines Liebesschaftes in die Pforte, in die er den Eingang suchte; so klein war mein Muschelchen, daß er meinte, er sei am falschen Platz, sah hin, befühlte und versicherte sich, daß er recht war. Und dann trieb er seinen Speer mit Ungestüm voran, und seine Festigkeit brachte die Teile auseinander und gewann den Eingang. Als er dieses merkte, trieb er seinen Sturmbock mit aller Kraft weiter zum Ziele, tiefer, tiefer trat er ein, und ich hätte laut schreien mögen vor Schmerzen. Aber ich wollte kein Aufsehen im Hause machen; ich hielt den Atem an, steckte meinen Unterrock, der etwas über meinem Gesichte lag, in den Mund und biß vor lauter Schmerzen darauf. Endlich gab das Zarte dem Harten nach, und er drang noch tiefer in mich; und seiner selbst nicht mehr länger mächtig, brach er nun in einer Art von Wut alles vor sich nieder und stieß seine Waffe, rauchend von Jungfernblute, bis zur Wurzel hinein ... Jetzt ... jetzt ... verließ mich meine Fassung ... Ich schrie laut auf und ward ohnmächtig; und nachdem er's vollendet und mich wieder freigegeben hatte, da floß, wie er mir nachher erzählte, ein Strom von Blut über meine Schenkel hin.

Als ich wieder zu Besinnung kam, fand ich mich ausgekleidet und zu Bett in den Armen meines süßen Räubers, der zärtlich klagend an mir hing und in der Hand ein Stärkungsmittel hielt. Meine Augen schwammen in Tränen und wandten sich schmachtend nach ihm, schienen ihm seine Grausamkeit vorzuwerfen und ihn zu fragen, ob sie der Lohn für meine Liebe sei. Charlie war ich nun teurer als zuvor geworden – wegen seines Triumphes über meine Jungfernschaft, die er ja nicht erwartet und die ihm solches Vergnügen bereitet hatte. Nun war er so liebevoll und aufmerksam um mich beschäftigt, liebkoste mich und beruhigte mich in meinem leisen Klagen, das doch mehr Liebe noch als Schmerz ausdrückte. Und aller Schmerz verschwand in meinem Glück, in meiner Liebe zu ihm, der nun der Herr meiner Seligkeiten und meines Geschickes war.

Die Wunde war noch zu frisch, als daß Charlies gutes Herz meine Liebe einer neuen Probe hätte unterziehen wollen; da ich aber weder mich bewegen noch gehen konnte, so gab er den Befehl, daß das Mittagessen mir ans

Bett gebracht werden sollte. Kaum hätte ich einen Hühnerflügel hinuntergebracht und ein Glas Wein, hätte mich mein Liebster, der mir aufwartete, nicht dazu genötigt.

Nach dem Essen, als alles bis auf den Wein abgetragen war, bat Charlie um die Erlaubnis – er hatte schon in meinen Augen gelesen –, zu mir ins Bett zu kommen; er begann sich auszuziehen, was ich nicht ohne sonderbare Regung von Furcht und Lust ansehen konnte.

Und nun war er bei mir im Bett; ein Mann, der erste in meinem Leben und am hellen Tage. Er schob sein Hemd hoch, dann das meinige und legte seinen bloßen glühenden Leib auf den meinigen; welcher Schmerz, wie groß auch immer, kann sich mit einem so hinreißenden Vergnügen messen! Ich fühlte meine brennende Wunde nicht mehr, sondern schlang mich um ihn gleich einem jungen Weinstock, als wenn ich fürchtete, daß ein Teil von mir unberührt von ihm bleiben möchte. Ich erwiderte seine heißen Umarmungen und Küsse mit einer Heftigkeit, wie sie nur die wahre Liebe kennt und Wollust allein nicht geben kann.

Jetzt noch, da alle Tyrannei der Leidenschaft in mir vorbei ist und in meinen Adern ein kühles, ruhiges Blut fließt, ergötzt und belebt mich die Erinnerung an diese Szenen, die meine Jugend am meisten bewegt haben …

Aber lassen Sie mich weitererzählen.

Mein schöner Junge glühte an mir, Leib an Leib, bis er nicht länger Herr seiner Begierden blieb, sanft seine Knie zwischen die meinigen schob, meinen Mund mit Küssen voll flüssigen Feuers bedeckte und einen zweiten Angriff wagte und sich einen Weg durch das zarte, zerrissene Gefilde hindurch bahnte. Der Schmerz war nicht viel geringer als beim ersten Male. Ich unterdrückte aber das Schreien und hielt aus mit der duldenden Stärke einer Heldin.

Jetzt wurde der Ansturm heftiger. Charlies Wangen röteten sich dunkler, seine Augen glühten, und ein vergehender Schauer kündigte die Ankunft jener höchsten Freuden an, die ich vor Schmerzen noch immer nicht teilen konnte.

Aber schon verdrängte einiger Genuß das Gefühl des Schmerzes, und als ich das erregende Einfluten des balsamischen Taues fühlte, kehrte meine ganze Leidenschaft zurück, und der übermäßigste Schmerz ward übermäßigste Wonne: Ich spürte die Lust der Lüste, da ein warmer Strahl sich durch alle inneren entzückten Auen ergoß. Welche Freuden! Welche Wollust, wenn uns in schauerndem Taumel der süße Strom überkommt, darin sich aller Genuß gleichsam versenkt und verbraucht, daß wir hinzusterben meinen in dieser Auflösung, die uns die Glieder strecken macht …

Wie oft hab ich mich in jenem köstlichen Zustand seligster Ermattung, der dem Erströmen folgt, gefragt, ob es wohl in der Natur ein Geschöpf gäbe, das glücklicher, als ich jetzt wäre, sein könnte! Und was war alle meine Angst vor der Zukunft gegen den Genuß einer einzigen Nacht, die ich mit meinem jungen Geliebten verbrachte, der so ganz mein Herz und meine Sinne erfüllte …

Wir brachten den ganzen Nachmittag bis zum Abend in

einer ununterbrochenen Reihe von Liebesgenüssen hin, in Küssen und allerlei verliebtem Getändel. Dann wurde das Abendessen aufgetragen. Charlie hatte sich wieder angezogen und wartete mir auf, da ich im Bett blieb. Er aß mit sehr gutem Appetit und schien darüber erfreut zu sein, daß mein Appetit nicht geringer war.

Ich war in Gedanken an mein Glück so in Verzückung verloren, daß mir alles, was noch kommen mochte, und sei es die Gefahr, daß sich alles ändern könnte, oder selbst der Ruin ganz gleichgültig schien. Die Gegenwart war alles, was mein kleines Hirn zu fassen vermochte. Spät am Morgen erwachte ich und machte mich leise aus den Armen meines Geliebten los, der noch in tiefem Schlafe lag; kaum wagte ich zu atmen, um ihn nicht zu wecken. Mein Haar, meine Haube, alles war in Unordnung; und ich brachte es wieder zurecht, so gut es ging, während ich die Augen nicht von dem schlafenden lieben Jungen wandte. Der Schmerz fiel mir ein, den er mir verursacht, aber auch, daß das Vergnügen ihn reichlich gutgemacht hatte.

Jetzt war es heller Tag. Ich saß aufrecht im Bett, dessen Tücher von der Heftigkeit unserer Hitze zerknüllt durcheinanderlagen. Ich versagte mir das Vergnügen nicht, die Gelegenheit auszunützen und mich an all den Schönheiten des Jünglings zu weiden, der da ganz nackend neben mir lag; denn sein Hemd war in die Höhe geschoben, so daß ich fast für seine Gesundheit fürchtete. Ich beugte mich entzückt zu ihm nieder und verschlang seine Reize mit den Augen; ich hätte mir hundert wünschen mögen, statt meiner zwei, um den Anblick noch besser zu genießen, den mir die herrliche männliche Schönheit meines Geliebten bot. Unverhüllt lag er da vor mir, die ich mich in all seine Schätze versenkte, staunend und in wachsender Erregung, daß es mir schwer wurde, nicht über den geliebten Leib meine Küsse regnen zu lassen. Und wie ganz anders sah das feuerspeiende Ungetüm aus, das gerade erst mit wilder Wut auf mich eingedrungen war und mich fast zerrissen hatte!

Ganz friedlich lag es auf einen Schenkel geneigt, mit halb enthülltem Haupt, und sah ganz unfähig zu der Grausamkeit aus, die es an mir begangen hatte. Weiche kurze Locken ringelten sich um die Wurzel des weißen, weichen Schaftes und verdeckten fast den wunderbarlichen Schatzbeutel, der darunterlag …

Eine Bewegung meines Geliebten entzog meinen Blicken die Schätze, die ich eben bewundert hatte, und ich legte mich nun leise wieder zu ihm. Meine Hand tastete dahin, wo das Geschaute wieder einen mächtigen Aufruhr erregt hatte, und meinen Fingern öffnete sich von selbst ein bequemer Weg. Aber ich hatte nicht lange Zeit, über die Unterschiede einer Jungfer und einer Frau Betrachtungen und Proben anzustellen, denn Charlie erwachte und kehrte sich mit der lächelnden Frage zu mir, wie ich geruht hätte.

Aber er wartete gar nicht meine Antwort ab, sondern schon drückte er auf meine Lippen seine feurigen Küsse, die Flammen in mein Herz schossen und über meinen ganzen Körper, und schon warf er, als wolle er sich für den Anblick seiner nackten Schönheit, den ich ihm gestohlen hatte, rächen, schnell die Bettücher ab, hob mir das Hemd auf und fing nun seinerseits an, alle die Reize zu beschauen, die die Natur mir gegeben hatte; und seine geschäftigen Hände liefen über jeden Teil meines Körpers. Die Festigkeit meines noch unreifen, aufknospenden Busens, die weiße Härte meines Fleisches, die Frische und Regelmäßigkeit meiner Gesichtszüge, die Harmonie meiner Glieder – alles schien ihn glücklich und zufrieden zu machen. Aber nun wollte er neugierig sehen, was für Schaden er an dem zarten Ort seines hitzigen Angriffs angerichtet, und führte seine Hand dahin, nachdem er mir ein Kissen untergeschoben hatte, um besser zu sehen. Ich kann das Feuer nicht beschreiben, das aus seinen Augen blitzte, aus seiner Hand glühte, Stöhnen und Seufzen der Lust war alles Lob, das er sagen konnte. Und währenddem war unter seinem Hemde der Speer wieder kampfbereit geworden, dessen höchste Kraft sich nun meinen Blicken zeigte. Er schien sich selbst daran zu freuen, nahm lächelnd meine Hand und führte sie – ich widerstand nur wenig – zu dem größten Meisterstücke der Natur.

Ich wehrte mich kaum; ich mußte wenigstens fühlen, was ich nicht umspannen konnte; eine Säule von weißestem Elfenbein, durchzogen von ganz feinen blauen Adern, das rote Haupt jetzt vollständig unbedeckt; kein Horn kann steiler und härter sein und doch kein Samt dem Gefühle sanfter und weicher. Nun führte er meine Hand tiefer hinunter, dahin, wo die Natur ihren Vorrat für unser Vergnügen aufbewahrt und so geschickt befestigt und am Baume aufgehängt hat, daß man den schier einen Beutelträger nennen könnte. Hier nun ließ mich Charlie durch ihre weiche Hülle ein Paar rundliche Früchte fühlen, die darin schweben und jedem, auch dem sanftesten Druck zu entweichen scheinen.

Diese Berührung meiner weichen, warmen Hand hatte in jenen empfindsamen Teilen einen erneuten Aufstand erregt, und ohne weitere Vorrede, meine bequeme Lage nützend, stürmte Charlie von neuem dort, wo ich mit Ungeduld darauf wartete. Sofort fühlte ich das Starre eindringen, die Lippen waren geöffnet; die Enge bereitete mir nicht mehr diese unerträglichen Schmerzen, und mein Liebhaber empfand nicht mehr Schwierigkeiten als zur Erhöhung seines Vergnügens dienlich waren; die umschließende Umarmung meiner zarten warmen Hülle legte sich anpassend um den Pfahl, der jetzt ganz in mich gedrungen war und mich fast vor Lust um den Atem brachte; die tötenden Stöße, die Küsse, die fiebernde Lust – das konnte die Natur nicht lange aushalten; die gereizten und erhitzten Gefäße kochten bald über und strömten Feuer aus … So verging der Vormittag, und Frühstück und Mittagessen wurden eins …

Honoré de Balzac

Die läßliche Sünde

Auf welche Weise und von wem das besagte Kind gezeugt wurde

Die Seneschallin brauchte nicht allzulange dem Gedanken nachzuhängen, wie sich möglichst schnell die Liebe ihres Pagen wecken ließe, und bald hatte sie die natürliche Falle entdeckt, in die auch die Hartgesottensten hineinstolpern. Das geschah so: In der heißen Tageszeit pflegte der gute Alte auf sarazenische Weise Siesta zu halten, eine Gewohnheit, auf die er seit seiner Rückkehr aus dem Heiligen Lande nicht wieder verzichtet hatte. Während dieser Zeit saß Blanche allein auf der Wiese, wo sie mit kleinen fraulichen Arbeiten wie Sticken und Auftrennen beschäftigt war, und sehr oft blieb sie auch daheim und sah die Wäsche durch, legte die Tischtücher oder schlenderte durchs Haus. Nun aber bestimmte sie diese stille Stunde dazu, die Erziehung des Pagen zu fördern, indem sie ihn aus Büchern vorlesen oder Gebete sprechen ließ. Am nächsten Tag nun, als mit der Mittagsglocke der Seneschall eingeschlafen war – er erlag der Sonne, die mit ihren heißesten Strahlen den Hang von La Roche-Corbon so sehr erhitzt, daß es schwerfällt, nicht einzuschlafen, es sei denn, eine verteufelte Jungfernschaft liegt einem im Sinn und quält und quengelt einen –, da kauerte sich Blanche höchst anmutig in den großen herrschaftlichen Lehnstuhl ihres alten Gatten, und sie fand es auch ganz passend, daß er etwas hoch war, denn so konnte sie mit zufälligen Blicken von unten her rechnen. Die listige Frau rekelte sich darin geschickt wie eine Schwalbe in ihrem Nest zurecht und legte ihr Köpfchen voller Tücke wie ein schlafendes Kind auf ihren Arm, hielt aber, als sie diese Vorbereitungen traf, ihre lüsternen Augen offen und lächelte; denn im voraus genoß sie schon all die kleinen verstohlenen Keckheiten, das Schnüffeln und Schielen und die Ängste des Pagen, der, um die Sprungweite eines alten Flohs von ihr entfernt, zu ihren Füßen sitzen würde. Ja, die Samtdecke, auf die das arme Kind, mit dessen Leib und Seele sie ihr Spiel trieb, knien sollte, rückte sie so weit an sich heran, daß, wäre es auch ein Heiliger aus Stein gewesen, sein Blick ganz einfach genötigt worden wäre, den Falten des Kleides zu folgen, um die Vollkommenheit und Schönheit ihres hübschen Beines zu ergattern und zu bewundern, über das sich der weiße Strumpf der Seneschallin spannte. Es war nicht zu verwundern, wenn sich ein schwacher Edelknappe in so einer Falle fing, in die der stärkste Ritter gern hineingetappt wäre. Als sie sich nun hin und her gedreht und so zurechtgerückt hatte, daß sie schließlich die Haltung einnahm, in der sie den besagten Pagen am meisten liebesbereit zu machen hoffte, rief sie mit sanfter Stimme: »Hallo, René!«, und René, den sie in der Wachstube wußte, lief sogleich herzu und steckte seinen dunklen Schopf durch den Türvorhang.

»Was befehlt Ihr?« fragte der Page.

Und in großer Ehrfurcht hielt er sein karminrotes Samtkäppchen in der Hand, das lange nicht so rot war wie seine allerliebsten frischen Grübchenwangen.

»Kommt hierher«, sagte sie mit leiser Stimme, denn das Kind entzückte sie so, daß sie ganz außer Atem kam. Um wahr zu sprechen: es gab keine Edelsteine, die so funkelten wie die Augen Renés, auch kein Pergament, so weiß wie seine Haut, keine Frau mit so zarten Formen. Und jetzt, wo sie der Erfüllung ihrer Sehnsucht so nahe war, fand sie ihn noch reizender von Gestalt, und ihr könnt euch denken, welch süßes Liebesspiel hier Jugend, Sonne und Heimlichkeit verhießen!

»Lest mir die Litanei der Heiligen Jungfrau vor«, sagte sie zu ihm und schob ihm das Buch hin, das offen auf ihrem Betpult lag.

»Ich möchte gern wissen, ob Euer Lehrer Euch gut unterwiesen hat. – Findet Ihr die Heilige Jungfrau nicht schön?« fragte sie ihn und lächelte, als er das angemalte Stundenbuch in der Hand hielt, aus dem so viel Himmelblau und Gold hervorstrahlte.

»Es ist ja nur gemalt«, antwortete er schüchtern, und dabei warf er einen kurzen Blick auf seine so anmutige Herrin.

»Lest, lest ...«

Nun begann René die so süße und geheimnisvoll dunkle Litanei vorzulesen; aber, glaubt mir, die *Ora pro nobis!*, die Blanche sprach, kamen immer schwächer aus ihrem Mund und verloren sich wie die Klänge des Horns in der Weite, und als der Page mit Inbrunst die Worte »O du geheimnisvolle Rose!« las, antwortete die Schloßherrin, die wohl gut verstand, mit einem leisen Seufzer. René vermutete daraufhin, daß die Seneschallin schlief. Da begann er, sie mit seinem Blick zu umfangen, sog sie mit seinen Augen nach Herzenslust in sich ein und gedachte fürder keinen anderen Wechselgesang mehr anzustimmen als den der Liebe. Das Herz sprang ihm vor Glück bis in den Hals hinauf, auch war es nur verständlich, daß diese beiden zarten Jungfernschaften füreinander um die Wette glühten. Und wenn ihr sie so gesehen hättet, ihr würdet deren zwei einander nie so nahe bringen. René trank sich satt mit seinen Augen und genoß in seinem Innern tausend Freuden, bis ihm von dem, was ihm die Liebe hier schenkte, das Wasser im Munde zusammenlief. In solcher Verzückung ließ er das Buch fallen, was ihn verlegen machte wie einen Mönch, der in Kindsnöte fällt. Aber zugleich merkte er, daß Blanche tief und fest schlief; denn sie regte sich nicht, die Schlaue, und hätte auch bei allergrößter Gefahr die Augen nicht geöffnet, hoffte aber, daß noch etwas anderes fiele als das Stundenbuch. Laßt es euch gesagt sein: es gibt kein ärgeres Verlangen als das, schwanger zu gehen! Jetzt betrachtete der Page den Fuß seiner Herrin, der gar niedlich in einem allerliebsten Stiefelchen von grünblauer Farbe steckte. Sie hatte ihn ausdrücklich auf einen Schemel gelegt, denn in dem Lehnstuhl des Seneschalls saß sie ja zu hoch. Dieser Fuß war ganz schmal, leicht geschwungen, zwei Finger breit und von der Länge eines Sperlings, wenn man den Schwanz mitmißt, am Ende klein, wahrlich ein Fuß zum Entzücken, der Fuß einer Jungfrau, der einen Kuß verdiente wie der Dieb den Strang. Ein Kobold von einem Fuß war das, ein wollüstiger Fuß, der einen Erzengel zum Straucheln bringen könnte, ein glückverheißender Fuß, ein Fuß, der wie ein Teufel reizt und Lust macht, zwei neue davon in die Welt zu setzen, die ihm gleichen, damit auf dieser Welt die schönen Werke Gottes nicht aussterben. Der Page war in Versuchung, diesen verführerischen Fuß aus seiner Hülle zu befreien. Und um das zu tun, liefen seine Blicke, aus denen das ganze Feuer seiner Jugend strahlte, schnell wie ein Glockenschwengel von diesem besagten Fuß der Wonne hin zu dem schlafenden Antlitz seiner Dame und Gebieterin. Er lauschte ihrem Schlummer, trank ihren Atem, und als sein Blick zurücklief, wußte er nicht, wohin es süßer wäre, einen Kuß zu drücken: ob auf die frischen und roten Lippen der Seneschallin oder auf diesen beredten Fuß. Kurzerhand, war's nun aus Achtung oder aus Furcht oder vielleicht auch aus übergroßer Liebe, wählte er den Fuß und küßte ihn hastig wie eine schüchterne Jungfrau. Dann hob er sofort das Buch wieder auf, fühlte, wie seine Röte sich noch steigerte, und vor Wonne ganz ergriffen, rief er wie ein Blinder: »*Janua coeli*, Pforte des Himmels! ... « Blanche aber erwachte noch lange nicht aus ihrem Schlafen, sie hoffte, daß der Page vom Fuß zum Knie aufsteigen würde und von da bis in den Himmel. Sie war sehr enttäuscht, als die

Litanei ohne weiteren Zwischenfall zu Ende ging und René, der zu viel Glück für einen Tag genossen zu haben glaubte, sich aus dem Zimmer stahl, ganz verstört und sich durch diesen verwegenen Kuß für reicher haltend als ein Dieb, der den Opferstock geraubt hat.

Als die Seneschallin allein war, dachte sie in ihrem Sinn, der Page sei ein wenig langsam, wenn ihm schon daran gelegen sei, das Magnificat in der Frühmesse zu singen. So beschloß sie nun bei sich, am nächsten Tage den Fuß ein wenig zu heben und auf diese Weise einen Zipfel von jener Schönheit ins Licht zu rücken, die man in der Touraine vollkommen nennt, weil sie, an die Luft gebracht, niemals verdirbt und dann auch immer frisch bleibt. Stellt euch vor, wie ungeduldig der Page, vor Sehnsucht sich verzehrend und ganz erhitzt von den Bildern des vorhergehenden Tages, die Stunde heranwartete, wo er wiederum in diesem Liebesbrevier lesen sollte! Und er wurde gerufen, der Wechselgesang begann von neuem, und Blanche verfehlte abermals nicht, in Schlaf zu sinken. Diesmal strich René mit seiner Hand über das hübsche Bein und wagte sich bis zu dem Punkte vor, wo er fühlen konnte, ob es sich um das glatte Knie oder etwas anderes oder nur um Seidenstoff handelte. Als der arme Junge aber klarsah, wagte er, durch die große Angst, die ihn beherrschte, in seiner Begierde gefesselt, nur kurze Anbetungen und kleine Liebkosungen; und wenngleich er, ganz sanft allerdings, diesen weichen Stoff küßte, blieb er doch mäuschenstill. Die Seneschallin wiederum, die mit aller Gewalt an sich hielt, um sich nicht zu regen, und die dennoch mit ihrer Seele und all ihren Sinnen dabei war, rief ihm plötzlich zu: »Nur zu, René, ich schlafe!«

Als der Page das hörte, lief er, weil er es für einen ernsthaften Verweis hielt, erschrocken davon und ließ Bücher, Pflicht und alles weit hinter sich. Die Seneschallin aber fügte daraufhin der Litanei folgendes Stoßgebet hinzu: »Heilige Jungfrau, wie schwer ist es doch, Kinder zu kriegen!«

Dem Pagen lief, als er beim Mittagsmahl seiner Herrin und seinem Herrn aufwartete, der Schweiß den Rücken hinab. Wie überrascht aber war er, als ihm Blanche den verliebtesten Blick zuwarf, den je eine Frau verschenkt hat, und sie war ganz aufgeräumt, denn es gelang ihr, dieses Kind in einen mutigen Mann zu verwandeln. Als Bruyn am selben Abend ein Weilchen länger, als er es gewöhnlich tat, in seiner Seneschallerei blieb, suchte der Page Blanche wiederum auf, fand sie eingeschlafen und ließ sie einen wunderschönen Traum träumen. Er nahm ihr das fort, was sie so lange gequält hatte, und spendete ihr so reichlich von dem, was Kinder wachsen läßt, daß sie obendrein gleich zwei weitere hätte bekommen können. Und die Frau packte den Pagen beim Schopf und rief, indem sie ihn ganz fest an sich drückte: »Oh, René, nun hast du mich aufgeweckt!«

Und tatsächlich, kein Schlummer hält so etwas stand; und die Heiligen, so fanden beide, mußten ja einen sehr festen Schlaf haben. Ganz ohne Zauberkunst und durch ein gütiges Geschick, das das unausrottbare Grundrecht der Ehemänner ist, siedelte sich aber mit einem Schlag auf dem Haupte des guten Gatten jener zierliche und anmutige Kopfputz an, der den Hahnreien so gut steht, und er hat dabei nicht den geringsten Schock empfunden.

Seit jenem schönen Fest zog es die Seneschallin vor, ihre Siesta auf französische Art zu halten, während Bruyn die seinige nach sarazenischer Mode hielt. Durch die besagten Siesten lernte sie, daß frische, junge Pagen besser schmekken als alte Seneschälle; und nachts wickelte sie sich in ihre Bettlaken und rückte weit weg von ihrem Mann, den sie abgestanden und ekelhaft wie den Teufel fand. Am Ende fühlte die Seneschallin, weil sie tagsüber schlief und wieder aufwachte, Siesten abhielt und Litaneien sang, in ihrem holden Leib jene Frucht gedeihen, nach der sie so lange geseufzt hatte; aber plötzlich war ihr die Machart noch lieber geworden als das, was dabei herauskam.

Bedenkt, René konnte lesen, aber nicht nur in den Büchern, sondern auch in den Augen seiner hübschen Herrin, für die er sich in einen brennenden Scheiterhaufen geworfen hätte, wenn das ihr Wunsch gewesen wäre. Als sie es beide nun in reichem Maße, mehr als hundertmal mindestens, so getrieben hatten, befiel die kleine Seneschallin Kummer und Sorge um das Seelenheil und die Zukunft ihres Freundes, des Pagen. Da sagte sie eines Morgens, als es regnete und beide sich wieder einmal wie zwei von Kopf bis Fuß unschuldige Kinder mit ihrem Magnetspiel die Zeit vertrieben hatten, Blanche, die immer die Unterlegene war: »Hör einmal, lieber René! Weißt du auch, daß du Todsünden begangen hast, während es bei mir nur läßliche waren, da ich ja schlief?«

»Ach, Herrin«, antwortete er, »wo soll denn der liebe Gott mit all den Verdammten hin, wenn das sündigen heißt?«

Blanche mußte laut lachen und küßte ihn auf die Stirn.

»Schweig, du Bösewicht, es dreht sich um die Seligkeit, und wir wollen doch auch im Paradies zusammen leben, falls du die Absicht hast, für immer bei mir zu sein.«

»Ach was, mein Paradies ist hier auf Erden.«

»Laßt das!« sagte sie, »Ihr seid ein Ungläubiger, ein böser Mensch, der nicht an das glaubt, was ich liebe: und das seid Ihr doch selber. Du weißt nicht, daß ich ein Kind unterm Herzen trage und daß ich es bald nicht mehr verbergen kann, so wenig wie meine Nase. Was wird dann der Abt sagen? Und was wird mein Herr Gemahl sagen? Er kann dich umbringen, wenn er in Wut gerät. Deshalb meine ich, du solltest zum Abt von Marmoustier gehen, ihm deine Sünden beichten und ihn um Rat fragen, was zu tun bleibt, wenn du meinem Seneschall zuvorkommen willst.«

»O je!«sagte der listige Page«, wenn ich ihm das Geheimnis unserer Freuden preisgebe, wird er über unsere Liebe das Interdikt verhängen.«

»Sicherlich«, antwortete sie, »ja, gewiß! Aber dein Heil im Jenseits ist jetzt ein kostbareres Gut für mich!«

»Ihr wollt es also, mein Lieb?«

»Ja«, antwortete sie, wenngleich mit schwacher Stimme.

»Nun, dann will ich gehen; vorher aber schlaft noch einmal, ich möchte mich verabschieden.«

Guy de Maupassant

Das Fenster

Ich hatte Madame de Jadelle im letzten Winter in Paris kennengelernt. Sie gefiel mir sofort ungemein. Sie kennen sie übrigens ja ebenso gut wie ich ... nein ... mit Verlaub ... fast so gut wie ich ... Sie wissen, wie sprunghaft und zugleich poetisch sie ist. Frei im Benehmen und empfänglichen Herzens, willkürlich, selbständig, kühn, waghalsig, nun ja: über jedes Vorurteil erhaben, und dabei doch empfindsam, feinsinnig, schnell verletzlich, zart und schamhaft.

Sie war Witwe, ich schwärme für Witwen, aus Faulheit.

Nun, ich war aufs Heiraten aus, ich machte ihr den Hof. Je näher ich sie kennenlernte, desto besser gefiel sie mir; und ich hielt es an der Zeit, meinen Antrag zu wagen. Ich war in sie verliebt und wurde es mittlerweile allzu sehr. Wenn man heiraten will, soll man seine Frau nicht übermäßig lieben, weil man dann Dummheiten begeht; man stürzt sich in Peinlichkeiten und wird so blöde wie brutal. Man muß sich immer noch bezwingen können. Wer am ersten Abend den Kopf verliert, darf gewärtig sein, daß er ihn ein Jahr darauf verziert bekommt.

Eines Tages also stellte ich mich mit hellen Handschuhen bei ihr ein und sagte: »Madame, ich habe das Glück, Sie zu lieben, und möchte Sie fragen, ob ich einige Hoffnung hegen kann, Ihnen zu gefallen, wenn ich mir alle Mühe gebe, und Ihnen meinen Namen antragen darf.«

Sie antwortete seelenruhig: »Wie eilig sie es haben, Monsieur! Ich weiß durchaus nicht, ob Sie mir früher oder später gefallen werden; aber ich wüßte mir nichts Besseres, als die Probe darauf zu machen. Als Mann finde ich Sie nicht übel. Bleibt zu erfahren, wie Ihr Herz, Ihr Charakter, Ihre Gewohnheiten sind. In den meisten Ehen gibt es entweder Sturm oder Betrug, weil man sich unzureichend kennt, wenn man sich verbindet. Es genügt eine Kleinigkeit, eine eingewurzelte Manie, eine starrsinnige Meinung über irgendeinen Punkt der Moral, der Religion oder was immer, irgendeine Verhaltensweise, die mißfällt, ein Tic, ein ganz kleiner Mangel oder eine unliebsame Eigenschaft, daß aus den zärtlichsten und leidenschaftlichsten Brautleuten unversöhnliche, erbitterte und fessellose Feinde bis in den Tod werden.

Ich will nicht wieder heiraten, Monsieur, ehe ich den Mann, mit dem ich mein Leben teilen möchte, nicht gründlich, bis in sämtliche Winkel und Falten seiner Seele kenne. Ich will ihn in Muße studieren, aus der Nähe und über Monate hin.

Darum mein Vorschlag: Sie verbringen den Sommer mit mir auf meinem Besitztum Lauville, und wir erproben dort in aller Ruhe, ob wir geschaffen sind, Seite an Seite zu leben …

Ich sehe, Sie lachen! Sie hegen einen törichten Hintergedanken. Oh! Monsieur, wenn ich meiner nicht sicher wäre, würde ich Ihnen das Angebot nicht machen. Ich empfinde für die Liebe, wie ihr Männer sie versteht, eine solche Verachtung, eine solche Abscheu, daß ein Fall für mich abgeschlossen ist. Nehmen Sie an?«

Ich küßte ihr die Hand.

»Wann reisen wir, Madame?«

»Am 10. Mai. Gut?«

»Gut.«

Einen Monat darauf richtete ich mich häuslich bei ihr ein. Sie war tatsächlich eine sonderbare Frau. Von früh bis spät studierte sie mich. Da sie leidenschaftlich gerne reitet, streiften wir täglich viele Stunden miteinander durch die Wälder und redeten über alles mögliche, denn sie suchte ebensosehr in meine geheimsten Gedanken einzudringen, wie sie bemüht war, mein geringstes Tun zu beobachten.

Ich hingegen war rasend verliebt und beunruhigte mich nicht im mindesten darüber, ob unsere Charaktere übereinstimmten oder nicht. Bald bemerkte ich, daß sogar mein Schlaf überwacht wurde. Irgend jemand schlief in der kleinen Kammer neben der meinen, betrat sie aber jeweils erst sehr spät und mit unendlicher Vorsicht. Dieses Ausspionieren zu jeglicher Stunde trieb meine Ungeduld schließlich auf die Spitze. Ich wollte die Klärung der Dinge beschleunigen und wurde eines Abends kühn. Sie nahm es derart auf, daß ich mich jedes neuen Versuches enthielt; doch befiel mich nun das heftige Verlangen, sie das Polizeisystem, dem sie mich unterwarf, auf irgendeine Weise entgelten zu lassen, und ich sann auf ein Mittel.

Sie kennen Césarine, ihre Kammerfrau, ein schönes Mädchen aus Granville, wo alle Frauen schön sind – nur daß sie so blond ist wie ihre Herrin dunkel.

Eines Nachmittags also lockte ich die Zofe in mein Zimmer, drückte ihr hundert Francs in die Hand und sagte:

»Mein liebes Kind, ich habe nichts Schlechtes mit dir im Sinn, aber ich möchte deiner Herrin dasselbe tun wie sie mir.«

Die Kleine lächelte hinterhältig.

Ich fuhr fort: »Tag und Nacht werde ich überwacht, ich weiß es. Man beobachtet mich beim Essen, beim Trinken, wie ich mich kleide, mich rasiere und meine Schuhe schnüre, ich weiß es.«

»Alle Wetter, Monsieur ...« brachte sie heraus und verstummte.

Ich fuhr fort: »Du schläfst in der Kammer nebenan, um zu lauschen, ob ich schnarche oder im Traum rede. Leugne es nicht! ...«

Hier lachte sie offen los, wiederholte: »Alle Wetter, Monsieur ...« und verstummte abermals.

Ich ereiferte mich: »Siehst du, mein Mädchen nun verstehst du wohl, daß ich es gar nicht gerecht finde, wenn man über mich alles auskundschaftet, ich aber nichts über die Person weiß, die meine Frau werden soll. Ich liebe sie aus ganzer Seele. Sie hat das Gesicht, das Herz, den Sinn, den ich mir erträumte, in der Beziehung bin ich der glücklichste aller Männer; indessen gibt es Dinge, die auch ich gern wissen möchte ...«

Césarine entschloß sich, meine Banknote in ihre Tasche zu versenken. Ich sah, daß der Handel geschlossen war.

»Höre, mein Kind, wir Männer halten große Stücke auf gewisse ... gewisse ... körperliche ... Beschaffenheiten, die eine Frau nicht hindern, bezaubernd zu sein, die ihren Wert in unseren Augen aber wandeln können. Ich will nicht, daß du mir Schlechtes über deine Herrin sagst, du sollst mir nicht einmal ihre heimlichen Fehler nennen, falls sie welche hat. Antworte mir nur offenherzig auf die vier oder fünf Fragen, die ich dir jetzt stelle. Du kennst Madame de Jadelle wie dich selber, schließlich kleidest du sie täglich an und aus. Siehst du, und da sage mir nun: Ist sie so üppig, wie sie aussieht?«

Die Kleine antwortete nicht.

Ich fuhr fort: »Sieh mal, mein Kind, du weißt doch, es gibt Frauen, die sich mit Watte auspolstern, weißt du, mit Watte, da wo ... da wo ... also da wo man die Kinderlein säugt, und auch da wo man sich draufsetzt. Nun sag mir, polstert sie sich mit Watte?«

Césarine hatte die Augen niedergeschlagen. Zaghaft sagte sie:

»Fragen Sie ruhig weiter, Monsieur, ich antworte auf alles zugleich.«

»Gut, mein Kind, du weißt, es gibt Frauen, die haben einwärts gekehrte Knie, manchmal so, daß sie sich bei jedem Schritt, den sie tun, aneinander reiben. Andere wieder haben sie auswärts gekehrt, sie haben Beine wie

Brückenbogen. Mittendurch kann man die Landschaft sehen. Beide Arten sind sehr reizend. Sage mir also, wie die Beine deiner Herrin sind?«

Die kleine Magd antwortete nicht.

Ich fuhr fort: »Manche haben einen so schönen Busen, daß darunter tiefe Falten liegen. Manche haben volle Arme bei einer Gertentaille. Manche sind vorne sehr füllig und hinten flach. Das ist alles sehr hübsch, wunderhübsch; aber ich möchte zu gern wissen, wie deine Herrin gebaut ist. Sag es mir offen, und ich gebe dir noch mal soviel Geld ...«

Césarine blickte mir tief in die Augen und antwortete mit freimütigem Lachen: »Monsieur, abgesehen davon, daß Madame schwarze Haare hat, ist sie genauso beschaffen wie ich.« Hiermit entwischte sie.

Und ich saß da.

Ich fand mich übertölpelt und beschloß, mich wenigstens an der unverschämten Zofe zu rächen.

Eine Stunde darauf betrat ich leise die kleine Kammer, von wo sie meinen Schlaf belauschte, und lockerte den Riegel.

Gegen Mitternacht nahm sie ihren Beobachtungsposten ein. Ich folgte ihr auf dem Fuß. Als sie mich sah, wollte sie schreien; aber ich hielt ihr den Mund zu und überzeugte mich ohne allzu große Anstrengungen, daß Madame de Jadelle, wenn das Mädchen nicht gelogen hatte, sehr gut gebaut war.

Ich gewann in dieser Feststellung sogar großen Geschmack, was Césarine übrigens, auch bei ein wenig eingehenderem Betreiben, durchaus nicht zu mißfallen schien.

Mein Wort, sie war ein entzückendes Muster der niedernormannischen Rasse, zugleich kräftig und zart. Nur mangelte es ihr vielleicht an gewissen Feinheiten der Körperpflege, was Heinrich IV. nichts ausgemacht hätte. Ich entdeckte es ziemlich rasch, und da ich Parfums über alles schätze, schenkte ich ihr noch am selben Abend eine Flasche Ambra-Lavendel.

Bald waren wir enger verbunden, als ich mir vorgestellt hatte, beinahe Freunde. Sie wurde mir eine erlesene Geliebte, mit natürlichem Witz und freudig in der Lust. In Paris wäre sie eine hochwertige Kurtisane geworden.

Die Beglückungen, die sie mir bereitete, erlaubten es, daß ich das Ende der Probezeit langmütig abwarten konnte. Mein Wesen wurde unvergleichlich, geschmeidig, gefügig, die Liebenswürdigkeit selbst.

Was meine Umworbene anbelangte, fand sie mich unzweifelhaft himmlisch, und ich bemerkte an gewissen Anzeichen, daß ich meiner Beförderung nahe war. Ich war sicher der glücklichste Mann der Welt, als ich dem legalen Kuß der Frau, die ich liebte, friedevoll in den Armen eines schönen jungen Mädchens entgegensah, für das ich zärtliche Neigung empfand.

Hier, meine Damen, müssen Sie sich nun ein wenig abwenden, denn ich gelange zu dem heiklen Punkt.

Als wir eines Abends von unserm Streifzug zu Pferde heimkehrten, beklagte sich Madame de Jadelle heftig, daß die Reitknechte ihrem Tier nicht alle von ihr geforderte

Sorgfalt zuwendeten. Sie sagte sogar mehrmals: »Sie sollen sich hüten, sie sollen sich hüten, ich weiß ein Mittel, ihnen auf die Finger zu sehen.«

Ich verbrachte eine ruhige Nacht, in meinem Bett.

Frühzeitig erwachte ich voll Glut und Schwung. Ich kleidete mich an.

Ich hatte die Gewohnheit, jeden Morgen eine Zigarette auf einem Türmchen des Schlosses zu rauchen, wohin eine Wendeltreppe führte, die ein großes Fenster im Oberstock erhellte.

Lautlos, die Füße in meinen Maroquinpantoffeln mit den gepolsterten Sohlen, schickte ich mich an, die ersten Stufen zu nehmen, als ich Césarine gewahrte, die sich zum Fenster hinausbeugte und ins Freie schaute.

Ich sah nicht die ganze Césarine, sondern nur eine Hälfte von ihr, die untere Hälfte: mir war diese Hälfte genauso lieb. Von Madame de Jadelle hätte ich vielleicht die obere vorgezogen. Sie sah bezaubernd aus, diese Hälfte, die sich mir darbot, so rund, nur eben mit einem leichten weißen Unterrock bekleidet.

Ich schlich ganz leise hinan, damit das Mädchen mich nicht hörte. Ich ließ mich auf die Knie nieder; mit unendlicher Behutsamkeit faßte ich die Säume des zarten Unterrocks und hob ihn behend in die Höhe. Ich erkannte es augenblicklich, dies heimliche Gesicht meiner Liebsten, so drall, frisch, füllig und süß, und setzte, um Vergebung, meine Damen, setzte einen zärtlichen Kuß darauf, den Kuß eines Liebhabers, der alles wagen darf.

Doch wie erstaunte ich: es duftete nach Verbenen! Aber

ich fand nicht die Zeit, darüber nachzudenken. Ich erhielt einen harten Schlag, vielmehr einen Stoß ins Gesicht, der mir fast die Nase gebrochen hätte. Dazu hörte ich einen Schrei, der mir sämtliche Haare sträubte. Die Person hatte sich umgedreht – es war Madame de Jadelle!

Sie ruderte mit den Händen durch die Luft wie jemand, der das Bewußtsein verliert; sie keuchte einige Sekunden, holte aus, als wollte sie mich peitschen, dann entfloh sie.

Zehn Minuten später brachte mir die bestürzte Césarine ein Billett; ich las: »Madame de Jadelle erwartet, daß Monsieur de Brives sie unverzüglich von seiner Gegenwart befreit.«

Ich reiste ab.

Nun ja, getröstet habe ich mich noch nicht. Ich habe alles versucht, alle Erklärungen eingereicht, um mir für den Irrtum Vergebung zu erbitten. Meine Schritte sind ausnahmslos gescheitert.

Seit dem Augenblick, wissen Sie, liegt mir ein Verbenenduft im ... im Herzen, der mir unmäßiges Verlangen bereitet, ihn noch einmal zu atmen.

Guy de Maupassant

Das Gewächshaus

Monsieur und Madame Lerebour waren im selben Alter. Aber Monsieur sah jünger aus, obwohl er von beiden der Angegriffenere war. Sie lebten in einem hübschen Landhaus bei Nantes, das sie sich erbaut hatten, nachdem ihr Handel mit Rouener Baumwollstoffen sie zu Vermögen gebracht hatte.

Das Haus stand in einem schönen Garten, der einen Hühnerhof, einen chinesischen Pavillon und ganz am Ende des Grundstücks ein kleines Gewächshaus umfaßte. Monsieur Lerebour war klein, rund und jovial, der Typ des vergnügt lebenden Ladenhändlers. Seine Frau, mager, eigensinnig und immer unzufrieden, hatte die gute Laune ihres Mannes nie zu zerstören vermocht. Sie färbte sich die Haare, las des öfteren Romane, die ihr Träume ins Gemüt trieben, obschon sie so tat, als verachte sie solches Geschreibsel. Sie galt für leidenschaftlich, ohne daß sie je etwas getan hätte, was diese Meinung rechtfertigte. Doch sagte ihr Gatte bisweilen mit einer gewissen Miene, die Vermutungen weckte: »Meine Frau hat es in sich!«

Seit einigen Jahren indes war sie unverträglich gegen Monsieur Lerebour, immer gereizt und schroff, wie wenn ein heimlicher, uneingestandener Kummer an ihr nagte. Mißhelligkeit war zwischen ihnen. Sie redeten kaum mehr miteinander, und Madame, die Palmyre hieß, fiel über Monsieur, der Gustave hieß, dauernd mit unfreundlichen Komplimenten, verletzenden Anspielungen, bissigen Reden her, ohne einen ersichtlichen Grund.

Er beugte den Rücken, überdrüssig, aber dennoch nicht kleinzukriegen, mit einem solchen Schatz an Frohsinn begabt, daß er die ehelichen Quengeleien hinnahm. Natürlich fragte er sich, was seine Gefährtin so erbittern mochte, denn er spürte freilich, daß ihre Gereiztheit eine verschwiegene Ursache hatte, aber so schwer zu ergründen, daß alle Mühe vergeudet war.

Oft bat er sie: »Höre, meine Gute, sag mir, was du gegen mich hast. Ich fühle doch, daß du mir etwas verheimlichst.«

Sie antwortete unabänderlich: »Aber nichts habe ich, gar nichts. Außerdem, wenn ich einen Grund zur Unzufriedenheit hätte, wäre es deine Sache, ihn zu erraten. Ich kann keine Männer leiden, die derart schlaff und begriffsstutzig sind, daß man ihnen auf die Sprünge helfen muß, damit sie das allermindeste verstehen.«

Entmutigt murmelte er: »Ich sehe schon, du willst mir nichts sagen.«

Und er ging und suchte des Rätsels Lösung.

Besonders die Nächte wurden für ihn sehr unbehaglich; denn sie schliefen immer noch im selben Bett, wie man es in guten und einfachen Ehen hält. Da gab es nun nichts, womit sie ihn nicht ärgerte. Gerade wenn sie beide sich niedergelegt hatten, begann sie ihn mit ihren gröbsten Bosheiten zu stacheln. Vornehmlich verübelte sie ihm, daß er Fett ansetzte: »Du nimmst den ganzen Platz ein, so dick wirst du. Und den Rücken schwitzt du mir voll wie ausgelassener Speck. Denkst du vielleicht, das ist mir angenehm?«

Unter dem nichtigsten Vorwand nötigte sie ihn aufzustehen, schickte ihn hinunter, eine Zeitung zu holen, die sie vergessen hatte, oder die Flasche Orangenblütenwasser, die er nicht fand, weil sie sie versteckt hatte. Und in wütendem und höhnischem Ton rief sie hinunter: »Du müßtest doch wissen, wo das steht! Wie man so trottelig sein kann!« Wenn er dann eine Stunde durch das schlafende Haus geirrt war und mit leeren Händen heraufkam, sagte sie statt eines Dankes: »Na, leg dich nur hin, wenigstens magerst du ein bißchen ab, wenn du herumlaufen mußt, du quillst ja auf wie ein Schwamm.«

Alle Weile weckte sie ihn, behauptete, sie habe Magenkrämpfe, und verlangte, aß er ihr den Bauch mit einem Flanelltuch massiere, das er mit Eau de Cologne tränken mußte. Er mühte sich ab, sie zu kurieren, untröstlich, daß sie litt, und erbot sich, Céleste, das Hausmädchen, zu wecken. Da regte sie sich erst recht auf und schrie: »Hat man für so was Töne! Laß nur, laß, ich habe nichts mehr, schnarch weiter, Schlafmütze!«

Er fragte: »Tut dir wirklich nichts mehr weh?«

»Nein«, fauchte sie ihm ins Gesicht, »sei bloß still, laß

mich schlafen. Stör mich nicht weiter. Du bist auch zu nichts imstande, nicht einmal eine Frau zu massieren.«

»Aber ... meine Liebe ...« klagte er.

Sie erbitterte sich: »Kein Aber ... Schluß jetzt. Laß mich in Ruhe ...«

Und sie kehrte sich zur Wand.

Eines Nachts nun rüttelte sie ihn so ungestüm wach, daß er vor Schreck in die Höhe fuhr und mit einer Behendigkeit auf dem Hinterteil saß, die er nicht an sich kannte.

»Was? ... Was ist los? ...« stotterte er.

Sie umklammerte seinen Arm und kniff ihn, daß er hätte schreien mögen. »Ich habe im Haus ein Geräusch gehört«, flüsterte sie ihm ins Ohr.

An Madames ständige Attacken gewöhnt, beunruhigte er sich nicht eben und fragte seelenruhig: »Was für ein Geräusch, meine Liebe?«

Sie zitterte wie außer sich und antwortete: »Ein Geräusch ... na, ein Geräusch ... Schritte ... Da ist jemand.«

Ungläubig fragte er: »Du meinst, da ist jemand? Aber nein; du wirst dich getäuscht haben. Wer soll denn da sein?«

Sie bebte: »Wer? ... Wer? ... Na Diebe, Schafskopf!«

Sacht legte er sich wieder hin: »Aber nein, meine Liebe, da ist niemand, bestimmt hast du geträumt.«

Nun stieß sie die Decke zurück und sprang zornig aus dem Bett: »Daß du doch ebenso feige wie schlappschwänzig bist! Ich jedenfalls lasse mich wegen deiner Trotteligkeit nicht abschlachten.«

Und sie pflanzte sich mit der Kaminzange in Kampfstellung hinter die verriegelte Tür.

Von solchem Beispiel an Tapferkeit beeindruckt, vielleicht beschämt, stand auch er verdrießlich auf, und ohne seine Nachtmütze abzulegen, nahm er die Schaufel und postierte sich seiner Hälfte gegenüber.

Zwanzig Minuten warteten sie in tiefster Stille. Kein neues Geräusch störte den Frieden des Hauses. Da kroch Madame wütend wieder ins Bett und erklärte: »Trotzdem bin ich sicher, daß da jemand war.«

Um Streit zu vermeiden, berührte er ihre Panik anderntags mit keinem Wort.

Doch in der folgenden Nacht weckte Madame Lerebour ihren Mann noch stürmischer als zuvor und ächzte: »Gustave, Gustave, eben hat jemand mit der Gartentür geklappt.«

Über soviel Hartnäckigkeit erstaunt, dachte er, seine Frau sei vom Somnambulismus befallen, und wollte sie aus dem gefährlichen Traum wachrütteln, als er tatsächlich ein leises Geräusch an der Hausmauer unten zu hören meinte.

Er stand auf, schlich ans Fenster und sah, ja, er sah eine weiße Gestalt über einen Gartenweg huschen.

Ihm wurde schwach. »Da ist jemand!« murmelte er. Dann raffte er seine Sinne, ermannte sich, und plötzlich, mit dem ungeheuren Zorn des Besitzers, dem man in sein Reich eingebrochen ist, verkündete er: »Na wartet, wartet, ich werd's euch zeigen.«

Er stürzte zum Sekretär, schloß auf, griff seinen Revolver und eilte die Treppe hinunter.

Außer sich vor Angst, lief seine Frau ihm nach: »Gustave, Gustave, laß mich nicht alleine, laß mich nicht alleine, Gustave, Gustave!«

Aber er hörte nicht mehr; er hatte bereits die Klinke zum Garten in der Hand.

Da stieg sie rasch wieder hinauf und verbarrikadierte sich im ehelichen Gemach.

Sie wartete fünf Minuten, zehn Minuten, eine Viertelstunde. Gräßlicher Schrecken befiel sie. Sicher hatten sie ihn umgebracht, gefangen, erwürgt, ermordet. Wenn sie doch die sechs Revolverschüsse hörte, wüßte, daß er kämpfte, daß er sich verteidigte. Aber dieses völlige Schweigen, dieses erschreckende Schweigen ringsum entsetzte sie.

Sie klingelte nach Céleste. Céleste kam nicht, antwortete nicht. Sie klingelte noch einmal, am Ende ihrer Kraft, nahe daran, das Bewußtsein zu verlieren. Das Haus blieb stumm.

Sie drückte ihre brennende Stirn gegen die Fensterscheibe, versuchte, das Dunkel draußen zu durchdringen. Sie konnte nichts als die tieferen Schatten der Büsche neben den grauen Wegen erkennen.

Es schlug halb zwölf. Seit einer Dreiviertelstunde war der Mann fort. Sie würde ihn nie wiederdersehen! Nein, bestimmt würde sie ihn niemals mehr wiedersehen! Und schluchzend fiel sie auf die Knie.

Zweimal klopfte es leise gegen die Tür, sie schrak mit einem Satz hoch. »Mach auf, Palmyre, ich bin's«, rief

Monsieur Lerebour. Sie stürzte hin, öffnete, und die Hände in den Hüften, die Augen noch voller Tränen, geiferte sie los: »Wo kommst du denn her, du Mistkerl! Läßt mich einfach alleine, daß ich umkomme vor Angst! Du kümmerst dich überhaupt nicht mehr um mich, als ob ich Luft wäre …«

Er hatte die Tür hinter sich geschlossen und lachte, lachte wie toll geworden, die Backen vom Munde breit gespalten, die Hände auf dem Bauch, die Augen naß.

»Das war … das war … Céleste«, stammelte er, »sie hat ein … ein … ein Rendezvous im Gewächshaus … Wenn du wüßtest, was … was … ich gesehen habe …«

Sie wurde bleich, und die Entrüstung würgte sie: »Wie? …was sagst du? … Céleste? … in meinem Haus? … in meinem … meinem … meinem Gewächshaus. Und du hast den Menschen, ihren Komplizen nicht erschossen! Du hattest einen Revolver mit und hast ihn nicht erschossen … In meinem … in meinem …«

Sie setzte sich, sie konnte nicht mehr.

Er machte einen Kreuzsprung, schnipste mit den Fingern Kastagnetten, schnalzte mit der Zunge und lachte immerfort: »Wenn du wüßtest … wenn du wüßtest …«

Auf einmal küßte er sie.

Sie stieß ihn weg. Und mit zornentbrannter Stimme: »Ich dulde nicht, daß dieses Mädchen noch einen Tag länger in meinem Hause bleibt, hörst du? Nicht einen Tag … nicht eine Stunde. Wenn sie zurückkommt, jagen wir sie hinaus …«

Monsieur Lerebour hatte seine Frau um die Taille

gefaßt und drückte ihr einen Kuß nach dem andern in den Nacken, geräuschvolle Küsse wie früher. Wieder verstummte sie, erstarrt vor Staunen. Er aber hielt sie eng umfaßt und zog sie sanft mit zum Bett …

Gegen halb zehn am nächsten Morgen klopfte Céleste, verwundert, daß die Herrschaften, die sonst früh aufstanden, noch immer nicht erschienen waren, leise an ihre Tür.

Da lagen sie beisammen, plauderten fröhlich Seite an Seite. Céleste war sprachlos. »Madame, der Milchkaffee«, sagte sie.

Mit sehr milder Stimme bat Madame Lerebour: »Bring ihn herauf, mein Kind, wir sind ein bißchen müde, wir haben nicht sehr gut geschlafen.«

Kaum war das Mädchen hinaus, fing Monsieur Lerebour wieder an zu lachen und kitzelte seine Frau: »Wenn du wüßtest! Ach! wenn du wüßtest!« Aber sie faßte seine Hände: »Nicht doch, bleib ruhig, mein Liebling, wenn du soviel lachst, tust du dir gar noch was an.«

Und sie küßte ihn lind auf beide Augen.

Madame Lerebour weiß von keinen Bitternissen mehr. Manchmal, in hellen Nächten, tappen die beiden Ehegatten auf leisen Sohlen zwischen Büschen und Beeten zu dem kleinen Gewächshaus am Ende des Gartens. Und sie hocken sich einer neben dem andern hinter den Scheiben nieder, als gäbe es da drinnen etwas Wunderliches und äußerst Interessantes zu sehen.

Sie haben Céleste den Lohn erhöht.

Monsieur Lerebour hat abgenommen.

Quellenverzeichnis

Margarete von Navarra (1492-1549): Das Heptameron. Die fünfundvierzigste Novelle
Aus: Erotisches zur Nacht. Frivole Geschichten aus vier Jahrhunderten.
© Aufbau-Verlag Berlin und Weimar 1989.
Deutsche Übersetzung von Elke Rappus-Weidemann.

Margarete von Navarra: Wie Bornet, der glaubte, mit dem Kammermädchen zu schlafen, sich selbst zum Hahnrei machte
Aus: Die Hose des Franziskaners. Liebesnovellen des französischen Mittelalters. Georg Müller Verlag GmbH, München - Wien 1969.
Übersetzungsrechte beim Albert Langen - Georg Müller Verlag, München.

Giovanni Boccaccio (1313-1375): Der dritte Tag des Dekameron. Die zehnte Geschichte. Der neunte Tag des Dekameron. Die sechste Geschichte. Der neunte Tag des Dekameron. Die zehnte Geschichte

Aus: Giovanni Boccaccio. Das Dekameron. © Aufbau-Verlag Berlin, 1958.
Aus dem Italienischen übersetzt. Die Verse der ersten drei Tage übertrug August Wilhelm Schlegel, die der folgenden Tage Karl Witte.

Jean de La Fontaine (1621-1695): Die Wette der drei Freundinnen (La Gageure des trois commères)
Aus: Erotisches zur Nacht. Frivole Geschichten aus vier Jahrhunderten.
© Aufbau-Verlag Berlin und Weimar 1989.
Aus dem Französischen übersetzt von Theodor Etzel.
Der Abdruck der Übersetzung erfolgt mit freundlicher Genehmigung des Gustav Kiepenheuer Verlages Leipzig.

Petronius (gest. 67 u. Z.): Eumolpos erzählt Encolpius, um ihn aufzuheitern, eines seiner Abenteuer
Aus: Petronius, Satiricon. © Rütten & Loening, Berlin 1963.
Aus dem Lateinischen übersetzt von Fritz Tech.

Die Gespräche des Göttlichen Pietro Aretino (1492-1556): Wie Nanna in Rom unter einem Feigenbaum der Antonia von dem Leben der Nonnen erzählte. Wie Nanna ihr Töchterlein Pippa im Hurenberuf unterrichtet
Aus: Die Gespräche des Göttlichen Pietro Aretino. © Insel Verlag Frankfurt am Main und Leipzig.
Aus dem Italienischen bersetzt von Heinrich Conrad.

Nicolas de Troyes: Von einer jungen Braut, der ein Drescher die Lektion immer wiederholte, damit sie am Hochzeitstage ihre Sache gut verstünde
Aus: Die Hose des Franziskaners. Liebesnovellen des französischen Mittelalters. Georg Müller Verlag GmbH, München - Wien 1969.
Übersetzungsrechte beim Albert Langen - Georg Müller Verlag, München.

Pietro Fortini (1500-1562): Ein Lämmchen, von einem Maler seiner Frau auf den Leib gemalt, wird von dieser in einen Schafbock verwandelt
Aus: Künstlergeschichten der italienischen Renaissance. Hg. von Rosemarie Widerra. © Henschelverlag, Berlin 1960

John Cleland (1709-1789): Die Memoiren der Fanny Hill
Aus: John Cleland. Die Memoiren der Fanny Hill. © Gustav Kiepenheuer Verlag GmbH, Leipzig 1987.
Nach einer alten Übersetzung aus dem Englischen.

Honoré de Balzac (1799-1850): Die läßliche Sünde
Aus: Honoré de Balzac. Derbdrollige Geschichten. Genannt Contes drolatiques. Dieterich'sche Verlagsbuchhandlung, Leipzig.
Aus dem Französischen übersetzt von Herbert Kühn.
© der Übersetzung Dieterich'sche Verlagsbuchhandlung, Leipzig.

Guy de Maupassant (1850-1893): Das Fenster (La Fenêtre)
Aus: Guy de Maupassant. Novellen 1883. © Aufbau-Verlag Berlin und Weimar 1984.
Aus dem Französischen übersetzt von Christel Gersch.

Guy de Maupassant: Das Gewächshaus (La Serre)
Aus: Guy de Maupassant. Novellen 1883. © Aufbau-Verlag Berlin und Weimar 1984.
Aus dem Französischen übersetzt von Christel Gersch.